KAZUNARI UCHIDA

ISSUE

論点思考

THE BCG WAY
THE ART OF FOCUSING ON THE CENTRAL ISSUE

BCG流 問題設定の技術

内田和成

東洋経済新報社

はじめに

上司からいわれたとおりの仕事をしたはずなのに、なぜか満足してもらえなかったという経験は多くの方がもっていると思う。もちろん上司がどうしようもないという場合もありえるが、実は多くの場合、間違った問題を解いているために上司を満足させることができていない。

仕事で大事なことは問題を解決することであるのはいうまでもないが、それは正しい問題を解いている場合にかぎるという前提がつく。

ビジネスの世界では、学校と違って、誰かがこの問題を解きなさいと教えてくれるわけではない。たしかに、はじめのうちは上司がこの課題を解決しなさいと指示してくれるが、徐々に自分で課題が何かを考えて、その解決方法も自分で考える必要が出てくる。この能力が身につかなければ、リーダーや経営者にはなれない。なにかの拍子で、こうした能力がない人物がリーダーや経営者になってしまったときには、率いられている組織やグループは取り組むべき課題がわからず、右往左往する羽目になる。

どうしたら正しい問題、あるいは解くべき問題に突き当たることができるのか。ボストン コンサルティング グループ（BCG）では、この解くべき問題（課題）のことを論点と呼んでいる。社内では毎日のように「このプロジェクトの論点はなにか」「ここで答えておくべき論点はこれとこれだ」といった議論を繰り広げている。

論点とは「解くべき問題」のことだが、その解くべき問題を定義するプロセスを論点思考と呼ぶ。そして、問題解決のプロセスはいくつもの論点候補の中から本当の論点を設定し、その論点に対するいくつかの解決策を考えだし、そこから最もよい解決策を選び、実行していくという流れで進む。つまり、論点思考は問題解決プロセスの最上流にある。

最初に論点設定を間違えると、間違った問題に取り組むことになるので、その後の問題解決の作業をいくら正しくやったところで意味のある結果は生まれない。論点設定に戻ってやり直すことになる。したがって、短期間で答えを出すためには最初の論点設定がきわめて重要になる。

企業は数え切れないほど多くの問題を抱えている。そして、それらをすべて解決しようと思っても、時間もなければ人も足らない。仕事には期限があり、こなすことができる工数もかぎられている。その中で解くべき問題の候補を拾いだし、その中から正しく選択し、解いて成果をあげなければならない。成果をあげるには問題選びが大切であることはおわかりいただけると思う。

論点設定を正しく行なうことで、考えるべきことは限定され、考えなくてもよいその他多くを捨てることができる、これが論点思考のメリットである。

そのため、優秀なコンサルタントは、自分の経験と勘、顧客（上司）の問題意識、起きている現象の解釈、こうしたものをすべて照らし合わせて論点を設定する。パートナークラスのコンサルタントであれば、他の調査・分析作業は部下に任せることはあっても、論点の設定だけは自らが徹底的に行なう。本書はこれまでコンサルタントの頭の中にしまい込まれていて名人芸と思われていたものを、何とかみなさんのわかる形に因数分解して、説明しようと試みたものである。

前著『仮説思考』では、主に問題解決をいかに効率よくかつ効果的に解くかを論じた。幸い非常に多くの読者から、おかげで仕事の進め方が速くなった、あるいは目から鱗《うろこ》の話だったという声を数多く頂戴した。

今回はそもそも、解いている問題そのものが間違っていたらという問題提起である。問題解決はビジネスで成果をあげる際にとても重要なものだが、暗黙の前提として「正しい問題」を解いていることを想定している。しかし、考えてみてほしい。あなたがいま解いている問題、あるいは、これから解こうとしている問題は正しいのか、他に解くべき問題があるのではないかと。ここを一度考えてみようというのが本書の狙いの一つでもある。

本書が、真の問題を見極めたいと願う、多くのビジネスパーソンのお役に立てば幸いである。

内田和成

二〇一〇年一月

——論点思考・目次——

第2章 論点候補を拾いだす――戦略思考の出発点 41

The BCG Way――The Art of Focusing on the Central Issue

The BCG Way

第3章

当たり・筋の善し悪しで絞り込む

——The Art of Focusing on the Central Issue

The BCG Way

第4章 全体像を確認し、論点を確定する

——The Art of Focusing on the Central Issue

第5章 ケースで論点思考の流れをつかむ……161

The BCG Way ——The Art of Focusing on the Central Issue

ケース

The BCG Way

第6章

論点思考力を高めるために

——The Art of Focusing on the Central Issue

装丁◆竹内雄二
本文・図表デザイン◆マッドハウス

第1章

あなたは正しい問いを解いているか

The BCG Way——The Art of Focusing on the Central Issue

1 すべては問題設定に始まる

▼ケーキを半分に分けるには？

まずはウォーミングアップとして古典的なクイズに答えていただきたい。

【問題】

Aさんと Bさんの前にケーキが一つある。二人が納得するようにケーキを二つに分けたい。さて、どのように分けたらよいだろうか。

さて、あなたはこのクイズをどのように考えただろうか。なにが問題にされているだろうか。もしかすると、「どうしたら正確に二等分できるか」を問われていると考えたのではないだろうか。そのために、半分に切るにはどこにナイフを入れたらいいかと定規で測ったり、ケーキの上にあるイチゴの数や大きさ、クリームの量を考えたり、どうしたら上手に切れるだろうと考えたり……。ケーキを二等分にするのはなかなか大変だ。正確に分けるのはむずかしいように思う。

だが、このクイズは正確に二等分にすることが問題ではないのである。大切なのは「二人が納得するように」という部分だ。厳密に二等分にされていなくてもいい。どうしたら納得できるか、が問題なのだ。

いかがだろう。あなたは正しく問題をとらえることができただろうか。

ゆえに正解は、Aさんができるだけ半分になるように切り分け、Bさんに好きなほうを選ばせる、というものだ。

Aさんは自分で二等分にするから、どちらを選んでも納得できる。Bさんは自分が得だと思うほうを選べるから当然納得できる。「どうしたら正確に二等分できるか」を問題と考えると解決するのは大変だが、「どうしたら納得できるか」を問題と考えると解決策を実行するのはとても簡単だ。

これとよく似ているのが遺産相続だろう。遺産相続はもめることが多いため、相続ならぬ争続といわれるほどだ。これも「どうしたら平等に遺産を分割できるか」を問題にすると、解決するのがむずかしくなる。第三者が資産の評価額を算出して、金額的に平等に分けても納得しない。「長男の自分が別荘なのに、弟が本宅なのはどういうわけか」「私がずっと看病していたのに一度も見舞いにこなかった弟と取り分が同じなのはどういうわけか」などと、損得勘定ならぬ、損得感情でもめる。

遺産相続の本当の問題は、「いかに平等に分けるか」ではなく、「相続人がいかに納得するか」なのだ。

▼最も重大なあやまち――間違った問いに答えること

問題解決はビジネスで成果をあげる際にとても重要なものである。その際、暗黙の前提として「正しい問題」を解いていることを想定している。

しかし、考えてみてほしい。あなたがいま解いている問題、これから解こうとしている問題は正しいのだろうか。正しく設定されているだろうか。

残念ながら、それはいつも正しいとはかぎらない。そして問いの設定を間違えていたら、その問いを解いても成果は得られない。
ピーター・ドラッカーは次のように述べている。

「経営における最も重大なあやまちは、間違った答えを出すことではなく、間違った問いに答えることだ」"The most serious mistakes are not being made as a result of wrong answers. The truly dangerous thing is asking the wrong questions."（*Men, Ideas and Politics*）

「分析の技術的な完全さを求めるのではなく、意見の対立や判断に関わる問題を明確にすることが重要である。正しい答えではなく、正しい問いが必要である」（『新訳　創造する経営者』ダイヤモンド社）

まさしくそのとおりで、真の問題に気づく力こそ、現在のビジネスパーソンに最も必要なものだ。問題解決に至るまでを考えてみると、

問題設定↓解決策の立案・提示↓実行↓問題解決

となる。

最上流の問題設定段階で間違えたら、その後、一生懸命に問題を解き、解決策を実行したとしても解決しない。成果はあがらない。時間とエネルギーだけを大きくロスすることになる。

世間では問題解決の重要性が繰り返し説かれ、そのためのさまざまな手法を解説した本が書店に並んでいる。Amazon.co.jpで「問題解決」と検索すると一〇〇〇冊以上の和書がリストアップされる。それほど問題解決のニーズが高いという証しだろう。

だが実際には、その前に重要なことがある。問題を解き始める前に、問題のように見えるものから、真の問題を発見すること、解くべき問題を決めることだ。

この真の問題、解くべき問題のことを「論点」という。そして論点を設定するという、問題解決の最上流に当たるプロセスが「論点思考」である。

▼「どんな広告をうつべきか」は解くべき問題か

食品メーカーA社では、コンビニエンスストア（以下、コンビニ）に商品を置いてもらうための広告戦略を検討中だ。「どんな広告をうてばコンビニに商品を置いてもらえるか」

が上司からマーケティング担当者に与えられた課題である。

営業担当が、自社商品がコンビニに置かれない理由について、コンビニのバイヤーに聞いたところ、「テレビCMをやっていないから」といわれた。だから、「どんな広告をうつか」と考え始めたのだという。

だが、そんなに単純な問題ではない。仮にテレビCMをうってもコンビニの棚には置いてもらえないかもしれない。置いてもらったとしても売れないかもしれない。コンビニで扱ってほしい商品をA社は一〇〇点近くもっていて、その全部について広告をうつわけにもいかない。マーケティング費用が膨大にかかってしまう。

一方で、コンビニに行って商品を見ると、明らかにテレビCMをやっていない商品が、いくつか並んでいる。

それはコンビニが置きたいと思う商品だ。たいしてテレビCMをしていなくても、消費者ニーズがあればコンビニは置く。

例えばハーゲンダッツがそうだ。キットカットもそうだろう。商品に独自性があって、他のメーカーがまねできない。数年前から受験生の間で、キットカットが受験の御守として支持されてきた。これは「きっと勝つ！」という言葉の響きからくるもので、インターネット上で行なわれた受験生の必勝アイテム調査でも、キットカットは上位にランクされた。商品そのものに独自性のあるものをコンビニは置く。

一方で、複数の企業が類似の商品を出している場合は、認知度を上げるためにテレビCMをうったほうが売れる。

コンビニにモノを卸しているメーカーはテレビCMをやらないとダメだと思っているところも多いが、それは固定観念だ。つまり「どんな広告をうてばコンビニに置いてもらえるか」は論点ではなく、「広告がなくてもコンビニに置いてもらうためにはどうしたらいいか」あるいは「いかに商品の差別化が図れるか」が論点となる。もし、その論点の解決ができない場合にはじめて、「どんな広告をうつべきか」が論点になる。

▼新製品開発は会社の成長につながるか

ある業務用機器メーカーB社から成長戦略を頼まれたと仮定しよう。ここ数年、売上げが減少している。そこで「どのような新製品を開発したらよいか」「どのようなマーケティング展開をしたらよいか」を考えてほしいというのが経営者からの依頼だった。

だが成熟した現在の日本市場において、一朝一夕に成長できるような戦略は見当たらない。「どのような新製品を開発したらよいか」「どのようなマーケティング展開をしたらよいか」という問題を解いても、大きな成果はあがらないと思えた。

そうした中で、他業界に参考になる事例が見つかった。外資系のC社である。

C社の成功要因はビジネスモデルを変えたことだ。新製品を売って利益をあげるのではなく、販売後の保守サービスで大きな利益をあげていた。こうしたビジネスモデルは、コピー機やエレベーターメーカーなどが行なっているが、それと同じ発想で、販売後にいかに顧客から収益をあげるかにフォーカスしていた。

具体的に説明しよう。例えば半導体の検査装置の場合、工場が最も懸念するのが、故障等による停止である。装置が故障すると半導体の製造がストップし、生産できなくなるからだ。

万一故障しても半導体検査装置が停止している時間はなるべく短いほうがいい、というのが工場側の要望だ。故障が発生してメーカーに連絡する。当日のうちにメーカー担当者が故障箇所を確認し、その翌日、修理担当を連れていく。これで復旧したとしても故障発生から丸二日かかる。あるいは故障箇所はすぐにわかったものの、部品の取り寄せに二日かかったとしたら、復旧までに四日かかってしまう。工場とすれば、四日分の生産量が消えてしまう。

C社はそこに着目し、いくつかの工夫をした。

例えば、リモート診断装置をあらかじめ検査機器に組み込み、顧客の工場でどんな状態で作動しているかを常時C社からモニターできるようにした。

これによって故障発生の可能性を事前に予測できるようになった。また、工場から故障の連絡を受けた際、C社の担当者は、どのような動作をして故障に至ったかというデータを持ってかけつけることができる。故障原因の当たりをつけた上で訪問できるようになったわけだ。

これによって一度目の訪問で、問題解決できる可能性が高くなる。

C社の半導体検査装置なら故障しても半日で復旧できるが、他社の装置は二~四日間止まってしまう。これなら工場は他のメーカーの製品ではなくC社の製品を選ぶ。

半導体検査装置は、高いものになると何千万円もするが、それ以上に半導体製造装置は何百億円もする。工場にとっては大きな設備投資だ。検査装置が故障して、製造ラインが長時間止まるのは損失が大きい。そこに着目したC社は他社との差別化を図るために、故障時間を短縮する工夫を徹底的に行なった。

これによって機器がダウンしている時間が短いという評判を呼び、それが顧客の囲い込みやシェア向上に大きな役割を果たした。ただし、一連のサービス事業の体制をつくるとなると当然コスト増になる。そこでC社は部品、修理代、保守費用を高額にした。例えば装置で使用する特殊な部品はとても高額な価格にするが、もし年間保守契約を結んでくれるとそれは無償になるといった仕組みだ。ただし、この年間保守契約は結構高額で、数年加入すると機器と同じ価格になってしまうくらいのものなので、もちろん利益も増大した。新製品で売上げをあげるのではなく、既存製品でいかに稼ぐか、既存顧客をつなぎとめるかという戦略が奏功した。

▼カギは「既存顧客」だった

B社の経営者が考えていた論点、「どのような新製品を開発したらよいか」「どのようなマーケティング展開をしたらよいか」は、実行しても成果が出るかは実行してみないとわからない上に、売上げを上げ続けるには、新製品を出し続けなくてはならない。

一般的に成長戦略を描くとなると、「成長＝売上増」という固定観念がある。売上げをあげるには新製品開発や、マーケティング戦略による新規顧客開拓を論点にしがちである。しかし、ねらいどおりに新製品が売れるか、あるいは新規顧客獲得に結びつくかどうかは不明だ。

そう考え直すと違う問いが見えてきた。それが「既存顧客からいかに収益をあげるか」

という論点だ。

既存顧客から収益をあげるには、顧客ニーズを把握しなくてはならない。ここであらたに「顧客ニーズをいかにくみあげるか」という付随する論点も見えてきた。B社では、本社に開発・技術・製造部門があり、販売は子会社、保守サービスは孫会社が行なっている。孫会社は顧客ニーズを把握しているが、彼らの意見が子会社、本社へときちんと伝わることは少なかった。本社は顧客ニーズを把握せず、検査機器の性能の向上、例えば精度を高める工夫、一秒間に検査できる量を増やす工夫などを行なっていた。孫会社は顧客のニーズは、優れた検査機器を買うことではなく、故障による停止時間を最小にしたいということだとわかっていたが、本社には伝わっていなかった。

それゆえサービス・保守の現場の声を聞く仕組み、顧客ニーズをとらえる仕組みを考える必要があった。具体的には、組織変更によって、販売、保守サービスを本社に組み込み、顧客ニーズをとらえ、顧客サービスを強化した。そして既存顧客から収益をあげることに成功し、売上増、利益増を達成したのである。

当初B社から依頼された論点は「どのような新製品を開発したらよいか」「どのようなマーケティング展開をしたらよいか」だった。だが、この問題を解いてもB社の成長にはつながらない。

そこで「既存顧客からいかに収益をあげるか」というあらたな論点を設定したのである。結果として保守サービスの現場の声・顧客ニーズをとらえる仕組みをつくり、アフターサービスを強化し、利益をあげることに成功した。

価格だけが競争要因で新製品開発の余地がないと思われていた業界で、新製品開発が競争優位を構築したという逆の例もある。欧州のコピー用紙メーカーの例であるが、それまでコピー用紙というのはどこから購入しても品質はほぼ同じで、企業が購入を決定する要因は価格がほとんどであると考えられていた。いわゆるコモディティ製品ということである。ところがあるメーカーが、顧客のニーズをよく調べてみた。どこに一番不満があるかというと価格でもなければ、紙の色・質、手触りがツルツルしているかといったことでもなく、急いでいるときにかぎって紙詰まりを起こすことにあることがわかった。これはみなさんも経験のあることだと思う。そこでこのメーカーでは、紙の見た目ではなく、コピー機で使われたときに紙が詰まらないような紙を開発した。結果として大変な評判になり、価格競争を免れることができたという。

このメーカーは顧客の真の論点が安い紙を買うことではなく、事務の効率を上げることにあると気づいたから、こうした解決策を提示することができたわけである。

▼論点の変更が提携の成功を導く

日本のＩＴ企業Ｄ社から提携戦略を依頼されたことがある。彼らの依頼は、「グローバル勝ち組企業の中でよい提携先はどこか」というものだった。Ｄ社は提携先として、すでに米国の大手ＩＴ企業Ｅ社を想定していた。

しかし、私は「勝ち組と組んでも仕方がない」と直感的に思った。すでに勝ち組であるＥ社と提携すると、Ｄ社はＥ社にとって数ある提携先の単なる一社になる可能性が高い。有利な条件で提携するのはむずかしいし、提携後もイニシアティブをもってビジネスを進めることができないだろう。下手するとＥ社の子会社のような扱いを受ける。私はＤ社の設定した論点、「グローバル勝ち組企業の中でよい提携先はどこか」は間違っていると考えた。

それよりも「どの会社と組むと自社が勝ち組になれるか、相手を勝ち組にできるか」という論点のほうがこの場合はふさわしいと考えた。提携企業がお互いの得意分野を持ち寄ることで共存共栄を図り、ＷＩＮ-ＷＩＮの関係を築く。一＋一が二ではなく、三にも四にもなる相手はどこかという考え方だ。

このIT会社は結果的に、当時は勝ち組とはいえない別の米企業F社と提携し、携帯端末に組み込まれている重要なシステムの開発に成功した。このシステムはスタンダードとなり、D社、F社ともに大きく成長することができた。

最初の論点である「グローバル勝ち組企業の中でよい提携先はどこか」のままマーケットリサーチし、強み・弱み、技術力、サービス提供力、マーケティング力などから判断したら、D社がもともと想定していた米国企業E社が提携先として最もふさわしい、という答えが出たに違いない。

だが論点を「どの会社と組むと自社が勝ち組になれるか、相手を勝ち組にできるか」に変更したことで、別の答えにたどり着いた。

「勝ち組と組んでも仕方がない」というのは、私の経験に基づく判断だった。一〇年以上前のことだが、海外から日本にやって来たボストン コンサルティング グループ（以下、BCG）のハイテク専門家を日本の大手メーカー数社に連れて行ったことがある。その際、日本メーカーは異口同音に「第二のマイクロソフトはどこか」と質問した。他社より早く第二のマイクロソフトを見つけ、そこと提携したいというのが彼らに共通する思いだった。

そのとき「どの会社と組むと自社が勝ち組になれるか、相手を勝ち組にできるか」という視点はもちえないのかと思った。そうした自分なりの価値観、信念があったから、「勝ち組企業はどこか」という論点に対し、「それでいいのだろうか」という疑問をもったのである。

私の本心をいうと、「どうすれば第二のマイクロソフトになれるか」と聞いてほしかった。しかし、そういう質問をする日本企業はいなかった。仮に現在、同じような場面があっても、そうした質問をする日本企業は少ないだろう。それが日本企業の強みでもあり、弱みでもある。

いずれにしても論点を変更しなかったらD社の成功はなかっただろう。

それくらい論点を決めることは大切なのである。

いくら問題解決力が優れていても、間違った問題を解いていたらなんにもならない。解くべき問題を間違えると、いくら優れた答えを出したところでビジネスにはなんの役にも立たないし、不利益を被ることさえある。

学校の勉強であれば、試験の出題者の出した問題を解けばいいので、どちらかといえば正しい解き方、あるいは効率的な問題の解き方が教育の中心になっている。ましてや国語の問題に数学の問題が紛れ込むことや、「この中には解くべき問題と解いてもしょうがない問題が混ざっているので自分で判断しなさい」なんてことは絶対にない。

ところが、ビジネスの世界では誰も「あなたが解くべき問題はこれである」と教えてくれない。上司がいても、本当に正しい問題を与えてくれるかどうかもたしかではない。そこで自分で問題を発見したり、定義しなければならない。

これを論点思考という。論点思考とは、「自分が解くべき問題」を定義するプロセスである。論点の中でも最上位の概念として大論点と呼ぶ。「大論点」とは、自分の仕事で成し遂げるべき最終的なゴールである。

一方で、大論点の下にはその大論点を解決していく上で、明らかにすべき点や解決すべき問題がいくつもある。これらは中論点、あるいは小論点と呼ばれ、大論点を現場や実務担当者のレベルの問題にブレイクダウンしたものといえる。

大論点を意識しつつ、自らの問題、つまり中論点・小論点を把握することこそ、現代のビジネスパーソンに最も必要とされる能力である。

2 問題解決プロセスにおける論点の役割

▼論点思考でニューヨークを復興させたジュリアーニ

問題解決能力の高い人とは、実は論点思考力が高い人だ。

問題解決力というと、すでにある問題をいかに解決するかばかりが注目される。でも実際には最初の問題設定がうまいから、鮮やかに解決できる。勝負は、論点思考の巧拙で決まっているのである。

ルドルフ・ジュリアーニ前ニューヨーク市長は、在任期間中（一九九四～二〇〇一年）、ニューヨーク市の凶悪犯罪撲滅に大きな成果をあげた。殺人事件が三分の二に減ったのをはじめとして全体の犯罪件数は五七％、発砲事件は七五％減少した。犯罪件数を全国水準より低く抑えることに成功し、ニューヨーク市は全米で最も安全な大都市となったといわれ、ニューヨーク市を浄化した市長として名声を博した。ギネスブックにも「最も多く犯罪率を削減させた市長」としてノミネートされている。

『リーダーシップ』（講談社）という彼の自伝にこんな記述がある。

「新しい取り組みを始めるときはいつも、できるだけ早い段階で、明白で決定的な勝利のイメージを頭に描くようにしてきた。最初から大きな一歩を踏み出す必要はない。むしろ、たいていの場合は、理解しやすく、解決策を打ち出しやすい小さな問題のほうが望ましい。解決策が示されれば、希望が生まれ、有権者や部下、さらには批判的だった者までが、口先だけでなく現実に行動が起こされ、はっきりした変化が生まれていることに気づく」

ジュリアーニが市長に就任した当時は、ニューヨークをよくすることなど誰にもできないと思われていた。多くの点で、市政には抜本的な改革が必要だった。問題は山積されていた。だがいっぺんに着手することはできない。どの問題に手をつけるかが腕の見せ所だった。

選挙活動中からニューヨークを安全な街にすることを公約に掲げていた彼は、就任後、すぐさま犯罪対策に着手した。だが、犯罪が減るまでには時間がかかる。また、犯罪の数を減らすだけではなく、市民にも治安の改善が図られていることを実感させる必要があった。

▼道路の横断取り締まりが凶悪犯罪を減らす

彼がまず着手したのは「路上での強請《ゆすり》の問題」だった。路上での強請をいかに減らすかが論点だった。強請というのは、赤信号や渋滞で止まった車に近づき、勝手に窓ふきをした後、運転手にさまざまな脅しをかけて金銭を支払わせるというものだった。

彼がこの問題に最初に取り組んだのは、「橋やトンネルの近くでとりわけ悪質な強請が行なわれていたからだ。ニューヨークを訪れる人が最初と最後に通過する場所で犯罪が横行するのでは、安心して往き来できるわけがない」という理由だった。

強請は、運転手に暴力をふるう現場、金銭を強要する現場を取り押さえないかぎり逮捕できないので、最初は排除不可能と思われた。

しかし、検察官としての経験から、彼は「交通規則を無視した道路の横断を取り締まる」ことを思いついた。金銭を強要したかは関係なく、車道に出ただけで、規則に違反したことになる。そこで交通違反切符を切り、その段階で相手の素性や逮捕状が出ているかどうかの有無が調べられる。その結果、一カ月もしないうちに強請は激減した。

「改善は誰の目にも明らかだった。市民も観光客も、この変化を歓迎した。観光客が増えれば、市の収入が増え、住民の働き口が生まれる。これが最初の成果だった」（前掲書）

これが記念すべき復興の第一歩となった。強請の摘発を解決すべき論点の第一号としたわけだ。

彼の政策は不寛容政策と名づけられている。警察に予算を重点配分し、警察職員を五〇〇〇人増員して街頭パトロールを強化したほか、落書き、未成年者の喫煙、無賃乗車、万引きなど軽犯罪の徹底的な取り締まりを行なった。

これは割れ窓理論に基づくものとされる。建物の窓が壊れているのを放置すると、それが関心の低さを示すサインとなり、犯罪を起こしやすい環境をつくりだし、ゴミのポイ捨て、万引きなどの軽犯罪が起きる。

そうなると、住民のモラルが低下して、地域の振興、安全確保に協力しなくなるため、それがさらに環境を悪化させ、凶悪犯罪を含めた犯罪が多発するようになる。

したがって、治安を回復させるには、軽微な秩序違反行為でも取り締まることが大切だというわけだ。

ジュリアーニは「いきなり凶悪犯罪を減らすことはできないし、それより小さな犯罪を徹底的に取り締まったほうが簡単だし、結果として街が安全になる」ということに気づき、それを解決すべき課題、すなわち論点として設定したのだ。

▼まず、与えられた問題を疑う

賢明な読者はすでにお気づきかと思うが、コンサルタントである私はクライアントから最初に与えられた依頼（論点）をまずは疑ってみる。「どのような新製品を開発したらよいか」「どのようなマーケティング展開をしたらよいか」と依頼されたときは、「その論点を解いてはたしてクライアント企業の成長にはつながるのだろうか」と思うし、「グローバルの勝ち組企業からよい提携先を見つけてほしい」と依頼されたときは、「勝ち組企業と提携することがよいことなのか」と思っている。

読者のあなたが上司から課題を与えられたときはどうだろうか。なにも感じることなく、そのまま解決策を考える場合もあれば、疑問を感じながらも上がいったことだからとそのまま取り組むこともあるのではないかと思う。下手に疑問を呈したところで、そんなことを考える暇があったら早く問題に取りかかれと怒られてしまうかもしれない。でもちょっと待ってほしい。

与えられた問題は正しいとはかぎらない。与えられた問題をそのまま解いても正解にはつながらない可能性がある。たいして成果があがらない可能性もある。つまり問題をあなたにもちかけた人のためにもならないのである。

私は問題を与えられたときに、「本当に正しいか」、つまり論点の設定は間違っていないかという視点をつねにもつことにしている。

あなたも上司から論点を与えられたときには、つまりなにか命令を受けたときには、まず与えられた問題を疑うことから始めるべきだ。

▼問題解決のカギを握る最上流工程

一般に、ビジネスパーソンが問題解決に取り組む場合、なにが問題か、どの問題を解決しなければいけないか、という問題設定は、すでに経営幹部や上司が行なっており、自分はその解決法を考えだすところから始めるという場合が多いのではないだろうか。

問題解決の最上流工程、すなわち論点を設定するプロセスである論点思考は、マネジメントレベルになるまで日常業務で必要になる機会は多くないので、それを学んでも仕方がないと思うかもしれない。しかし、それは二つの理由で間違いである。

一つには日常の些細に思える仕事の中にも、必ず問題解決のヘソとなる論点は存在する。したがって、この論点を意識して仕事を進めるか進めないかで、仕事の結果に大きな違いが表れる。

上司からいわれたとおりの仕事をやったのに、それを提出するとなぜかあまり評価されなかったという経験があるのではないだろうか。これは論点がずれているせいだ。一方で、上司からいわれたとおりのことをやっていないのに、なぜか上司の満足度が高い、一見要領がいいだけに見える人間が、実は論点をきちんと押さえているものだ。

論点思考がミドルマネジメントや若手にも必要な二つ目の理由は、論点思考の巧拙というのは実は経験が大きくものをいう点にある。したがって、若いうちから論点、それも最も重要な大論点を見つけだす訓練をしておかないと、いざマネジメントになったときに問題解決がうまくできない。

したがって、マネジメント、ミドルマネジメント、一般社員、あらゆる階層の人間にとって問題解決における最も重要なポイントは、この論点思考という最上流工程にあると断言できる。ジュリアーニ前ニューヨーク市長の例でいえば、「強請をいかに摘発するか」という論点の設定がよかったわけだ。

この部分が正しくできていれば、つまり、問いの設定が正しく行なわれていれば、成功は半ば保証されたようなものである。逆に問いの設定が間違っていれば、その後の戦略策定・実行をいくら精緻華麗に行なったとしても、もともと方向性が間違っているのだからよい結果につながるはずがない。

コンサルティング会社のプロジェクトを例にとると、目的や論点を正しくとらえたよい提案書（プロポーザル）ができれば、期待された成果を出してプロジェクトが成功する確率はかなり高くなる。だからこそ、コンサルティング会社のパートナーは他の調査・分析作業は部下に任せることはあっても、ここに自分の経験と能力をフルに投入し、徹底的に考え抜き、最良のプロポーザルをつくりだそうと努力する。

これはビジネスにおいても同じだ。なにを問題とするか、いかに論点を設定するかによって、その後の成否が決まるのである。

第2章

論点候補を拾いだす——戦略思考の出発点

The BCG Way——The Art of Focusing on the Central Issue

1

論点思考の論点

▼課題に優先順位をつけて絞り込む

企業がなにか問題を抱えていて自分たちだけでは解決できないと思うとき、あるいは「いろいろな不具合が生じている。なにが真の問題であるかは明確ではないが、会社を改善したい」と経営者が思うとき、コンサルタントの出番となる。

その際、優秀なコンサルタントはすべての問題を解決しようとはせずに、課題を一つに絞って、それを解決することに力を注ぐ。

というのも、企業は数え切れないほど多くの問題を抱えていて、それらをすべて解決しようと思っても、時間もなければ人も足りない。

仕事には期限がある。工数もかぎられている。多くの問題の中から選択し、解いて成果をあげなければならない。そう考えると、成果をあげるには問題選びが大切だ。前述のジュリアーニ前ニューヨーク市長の例で示したように、解いて効果のあがる問題がよい問題なのだ。

ところが一般企業の場合、期限や工数に対する認識が曖昧なことが多い。そうした考え方のないこともある。そのため、目の前にあるすべての問題を解こうとしたり、自分のポテンシャルでは解けそうもない大きな問題を解こうとしたりする。結果としてすべてが中途半端なまま放置されることになる。

そこで問題に優先順位をつけて、一つか二つに絞った上で問題解決を図るのだ。

ここでむずかしいのは、最優先で解決すべき問題＝論点を設定することだ。「これこそが論点だ」と誰かが教えてくれるわけではない。どれが論点なのかと自分で考え、それが本当に一番の問題なのか、他にもっと重要な問題はないかと判断しなければならない。

コンサルタントの世界では、与えられた問題の分析ができ、その問題が解決できるというだけでは、コンサルタントとして半人前だといわれている。一流のコンサルタントは、論点がなにかを見つけだす能力に優れているのだ。

▼論点思考の四つのステップ

論点思考を行なう際、覚えておきたいのが、以下のステップだ。

①論点候補を拾いだす（↓第2章）
②論点を絞り込む（↓第3章）
③論点を確定する（↓第4章）
④全体像で確認する（↓第4章）

あらかじめ断っておくが、論点思考の際に、つねにこの四つのステップをすべて行なうわけではないし、①↓②↓③と順番に行なうわけでもない。時と場合に応じて、必要なステップのいくつかを使う。順番も行ったり来たりする。また、それぞれのステップを意識的に行なう場合もあれば、無意識のうちに行なっている場合もある。

この論点思考のプロセスのうち、①〜③は、主に論点を設定する部分であり、④は主に整理あるいは確認する部分である（図表2-1）。

図表2-1　論点思考のステップ

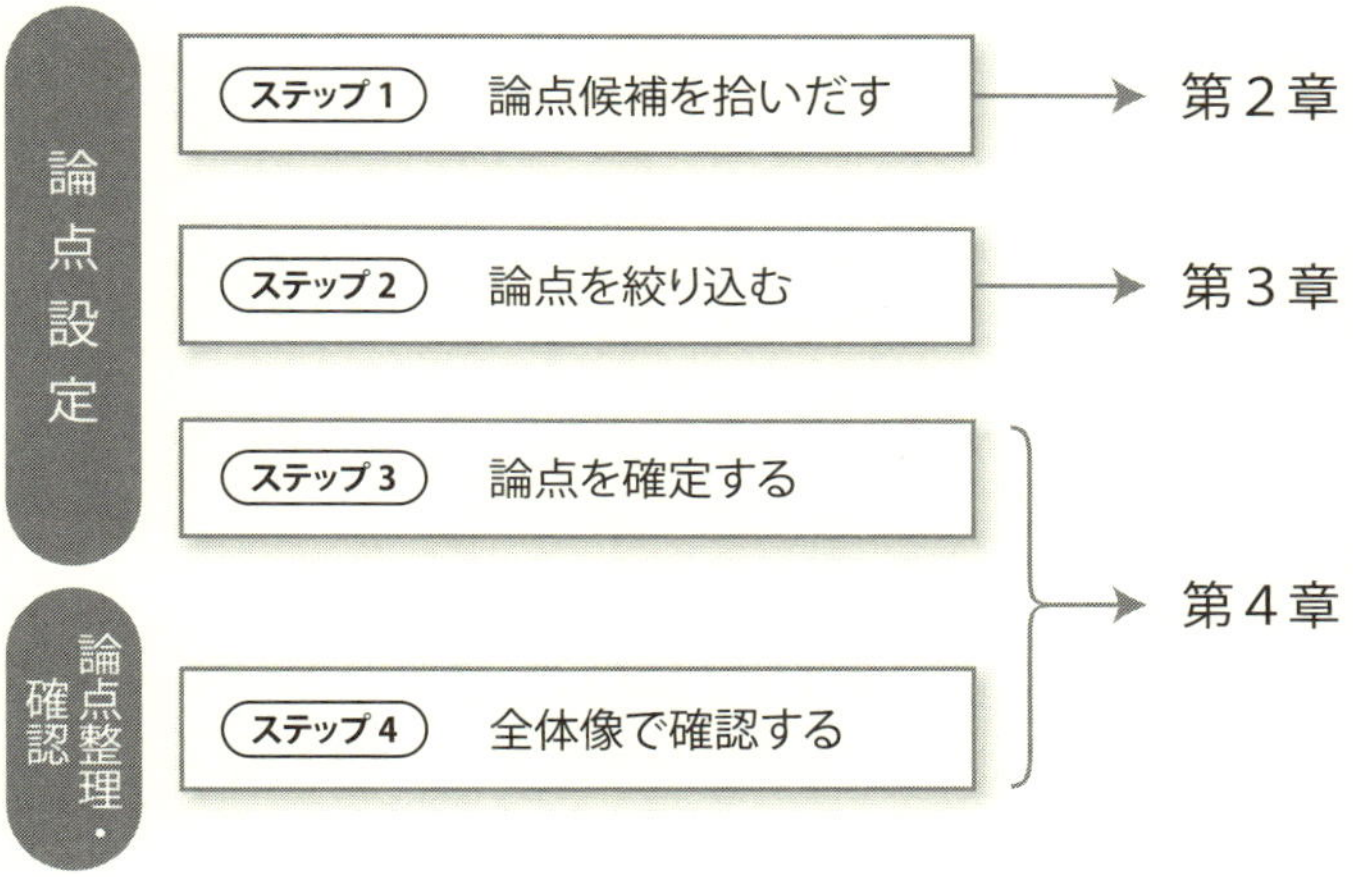

論点設定とは大論点を定義することである。前述したように、大論点とはいくつかある論点の中で、ゴールを規定する最上位の論点であり、戦略思考の出発点となる。自分の仕事の依頼主（社長のこともあれば、部門長、上司、場合によっては自分自身のこともあるだろう）が問題解決を求めている高次元の悩み・課題を、自分にとっての問い、自分に課せられている任務そのものの目的として翻訳したものといってよい。

論点の整理・確認とは、大論点に答えるために、「掘るべき筋と単位」を中論点、小論点として因数分解し、構造化することだ。言い換えると、答えを導きだすために、仮説を立て、検証・反証していく道筋であり、横方向の因数分解と縦方向の上下関係の構造で全体像が定義される。この論点を縦横に展開した構造全体を、「イシュー・ツリー」と呼んでいる。

このうち論点思考の肝となるのが、論点を設定する部分だ。要するになにが一番の問題なのかを発見することである。

論点を設定する際に、どうしても省略できないステップがある。それが「①論点候補を拾いだす」だ。「本当の論点がなにか」を探るためには、まずどんな論点がありそうかをリストアップする必要がある。それが、論点思考の出発点である。

もちろんコンサルタントであれば顧客から教えられた問題点がそのまま論点の場合もある。ビジネスパーソンであれば、上司からいわれた課題がそのまま論点の場合もあるだろう。しかし、世の中、そうでないことが多いというふうに思っておけば間違いない。顧客の論点や上司の論点は疑ってかかったほうが、早く答えにたどり着く。

問題解決が速い人は、本当に解決すべき問題すなわち「真の論点はなにか」とつねに考えている。もう少し具体的にいえば、「なにが問題なのか」「それは解けるのか」「解けるとどんないいことがあるのか」を考える。

そのためには思いついた論点候補のうち、どれが真の論点かの「当たりをつける」あるいは「筋の善し悪しを考える」。さらにそれが本当に問題解決になるかを顧客・上司にぶつけたり、インタビューしたり、自分の頭の中のデータベースを参照したりして、補強していく。これさえできればまだなにも解決策を考えていなくても、問題解決の九割方は終わっている。

私の感覚では、「②論点を絞り込む」と「③論点を確定する」は行ったり来たりすることが多いが、②で絞り込んだ瞬間に自動的に論点が確定される場合もある。当たりをつけてしっくりいかない場合に、相手に探り針を入れたり、真意の確認をして論点が間違いないかたしかめ直すこともある。それでも①～④すべてのステップを順番に行なうことは滅多にない。

論点設定に不慣れな人はいきなり③の手法の一つである「顧客・上司へのヒアリング」から取りかかる。そして聞き取ったものを「構造化」しようとする。要するに与えられた課題について、それが解くべき論点であるとなんの疑いもなく作業を始めて、結果としては顧客・上司の満足する解決策を見極めることができずに失敗することが多い。

ベテランは「本当の論点はなにか」を考える。初心者はインプットと構造化を繰り返す。ここがベテランと初心者の大きな違いだろう。

2

論点と現象を見極める

▼事例「会社に泥棒が入った」

本当の論点を設定するには、論点の特徴について知っておく必要があるだろう。まず大前提として、現象や観察事実を論点と間違えないことが大切だ。一般的に問題点と呼ばれるものの多くは、現象や観察事実であって、論点でないことが多い。現象を論点ととらえて問題解決を図ろうとしても、多くの場合、成果はあがらない。

会社に泥棒が入ったとしよう。これは会社にとって大きな問題である。しかしながら、

「会社に泥棒が入った」ことは論点ではなく、現象もしくは観察事実である。そこを勘違いしている人が多い。

では、この場合の論点とはなにか。それは図表2－2のようにいろいろと考えられる。

〈論点1〉防犯体制に不備がある。

〈論点2〉損害を受けた、あるいは今後受けるリスクがある。例えば、現金、機密書類、設備等が盗まれ損害を受けた、あるいは顧客名簿、特許情報等を盗まれ、将来、なんらかのトラブルが発生するリスクがある。

〈論点3〉報告体制に不備がある。昨日泥棒に入られたのに、幹部が報告を受けたのは今日だった。

〈論点4〉盗難にあったことが報道され、会社のイメージダウンにつながった。

ここで重要なのは、なにを論点にするかで打ち手が変わるということだ。例えば前述の四つの論点に対する打ち手は、それぞれ以下のようなものになる。

〈打ち手1〉防犯体制づくり。フェンス、防犯カメラなどの設置、セキュリティ会社と

図表2-2　問題点と論点の違い

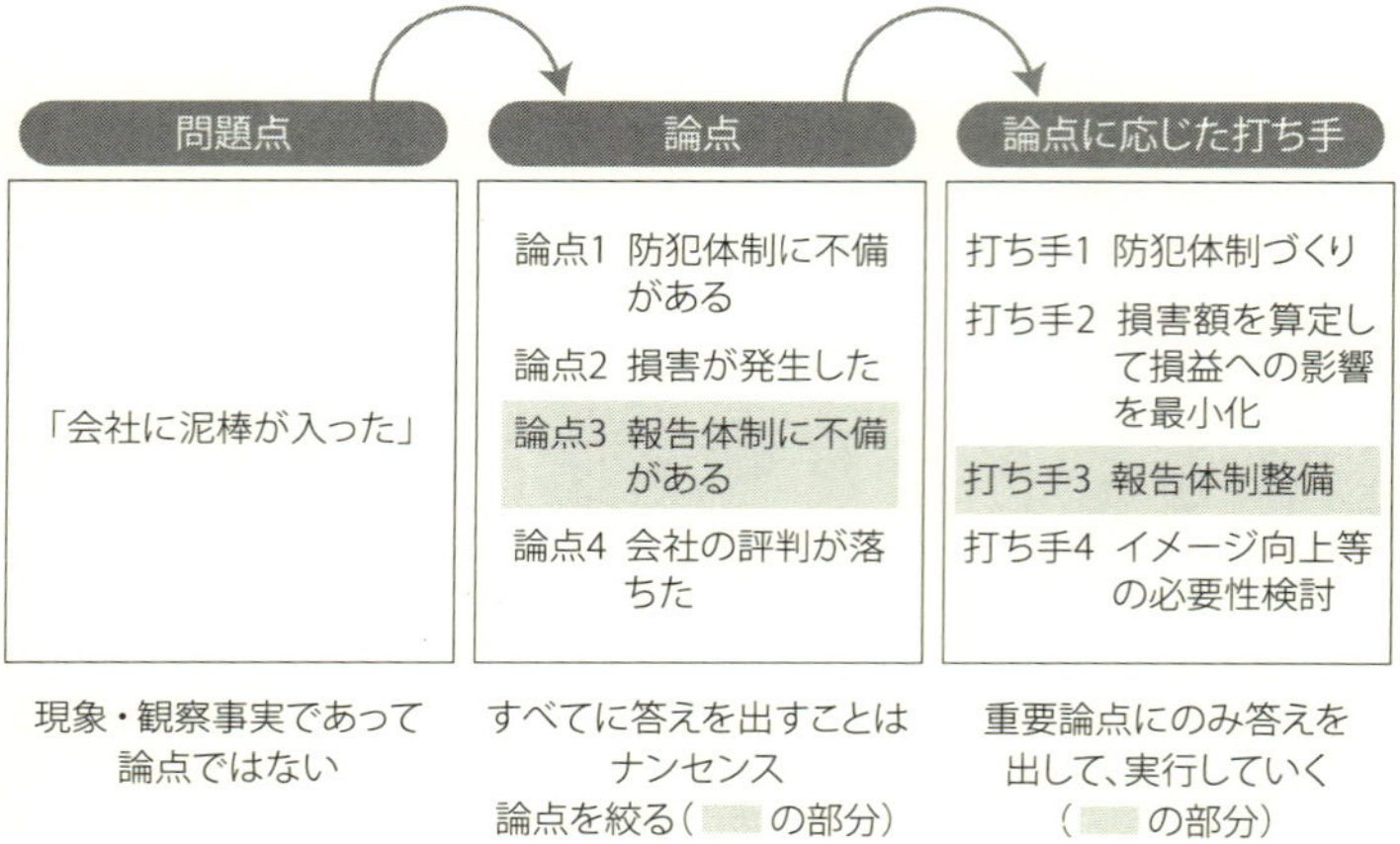

の契約。

〈打ち手2〉損害額の算定と保険による補償の有無、損益への影響を調査。

〈打ち手3〉報告体制・コンティンジェンシープランの作成。

〈打ち手4〉報道によるインパクトの把握と、対応策の必要性の検討。

このように論点によって打ち手は変わる。別の言い方をすれば、論点の設定が間違っていると、どんなに立派な打ち手を考えたとしてもなんの役にも立たない。

一方で前述のように論点候補を四つピックアップすると、四つすべてを解決しようとする人がいる。しかし、それでは結局、問題は解決できない。

企業のかぎりある経営資源をすべて防犯対策や指揮命令系統にあてるわけにはいかない。そんなことをしたら、本業がおろそかになってしまう。数ある論点の中から、いま解決しておかなければならないこと、あるいは、これだけは解決しておかなければならないことに絞って手を打つ必要がある。

例えば、「防犯体制に不備」があったり、「損害が出た」ことは事実だが、今回の盗難では、それが速やかに経営者に伝わらなかった「報告体制」に不備があるのが最大の問題なので、それを最優先で解決しよう、というように考える。「絞り込む」「捨てる」という考え方がとても大切だ。

企業経営の場合、学術的研究とは違い、すべての論点に対応すべきではない。焦点を絞らないと、効果のある解決策をつくり、実行するのはむずかしい。

▼事例「経営不振に陥ったレストラン」

日常生活に近い事例で説明しよう。あなたの街にある経営不振に陥ったレストランをイメージしてほしい。そのレストランの問題はなにかと尋ねると、多くの場合、以下のような答えが返ってくる。

- 味がまずい
- 客が入っていない
- 行くのに不便
- 駐車場がない
- インテリア（内装）のセンスが悪い
- エクステリア（外装）がお粗末
- 価格が高い
- 従業員のサービスが悪い
- 店主の態度が悪い

これらは一見問題のように見えるが、これも単なる現象や観察事実であって論点ではない。

なぜなら店主の態度が悪かったり、エクステリアがお粗末でも、味やサービスのレベルが高いために流行《はや》っている店は多い。もちろん、価格は高くても流行っている三ツ星レス

図表2-3　現象と論点の違い

現　象

- 味がまずい
- 客が入っていない
- 行くのに不便
- 駐車場がない
- インテリア(内装)のセンスが悪い
- エクステリア(外装)がお粗末
- 価格が高い
- 従業員のサービスが悪い
- 店主の態度が悪い

⋮

論　点

- 価格の割にまずいのでリピート客が来ない
- 車で行かないと不便な場所にあるのに駐車場がない
- 味はよいのに外観がみすぼらしいので、はじめての客が入らない

⋮

トランもある。

要するに、目に見える現象だけをとらえてレストランの問題を解決することはできないので、その奥に潜む真の問題、すなわち論点に気づくことが大事なのである。しかも、あるレストランの論点が、別のレストランにも当てはまることはまれだ。逆にすべての課題を論点としてしまい、すべてを解決することも不可能だ。

現象や観察事実から一段踏み込んで、これだけ解決すれば店がよくなるという「ヘソ」を見つけださなくてはならない。

具体例をあげれば、経営者へのヒアリングや現地調査を通じて、例えば、「価格の割にまずいのでリピート客が来ない」「車で行かないと不便な場所にある

のに駐車場がない」「味はよいのに外観がみすぼらしいので、はじめての客が入らない」など、その店特有の論点に気づくことができるはずだ（図表2－3）。

▼事例「少子化問題」

世の中で「問題」と考えられていることで、実は問題ではないものがある。

例えば少子化「問題」がそれだ。日本で一年間に生まれてくる子どもの数は一九七〇年代前半にはおよそ二〇〇万人だったが、最近では一一〇万人を割り込んでいる。厚生労働省発表の二〇〇七年の人口動態統計によると、〇七年の出生数は一〇八万九七四五人、合計特殊出生率（一人の女性が生涯に産む子どもの数に近い推計値）は一・三四だった。

国は少子化対策として、近年、少子化対策の内閣府特命担当大臣というポストを新設したり、「少子化社会対策基本法」を定めたりしている。

だが、少子化というのは一つの現象であって問題ではない。つまり論点ではない。

視野を広げ世界レベルで見たら、日本の少子化は歓迎すべきことかもしれない。世界中が人口増による食料不足で苦しむ中で、日本の人口が減ればそれだけ食料需要が減る。日本は世界中から大量の食料を輸入しているが、それが減少するとその分だけ食料が浮くことになる。余剰分を食料不足に苦しむ新興国に分配すれば、多くの命が救われるだろう。

少子化は現象にすぎない。少子化のなにが悪いかは、もっともっと深く考える必要がある。

少子化を問題ととらえた場合、どのような論点が考えられるか。いくつかあげてみたい。

〈論点候補1〉少子化になると、労働人口が減少する。これによって日本の生産性（GDP・GNP）が低下する。日本の生産年齢人口は一九九五年に八一七一万人となり、以後減少している。女性や高齢者の就労率上昇が続いたにもかかわらず、労働力人口も一九九八年にピーク（六七九三万人）を迎え、以後減少傾向にある。このまま少子化が続けば労働力人口のさらなる減少が生じ、深刻な経済活動の停滞と生活水準の低下が予想される。

〈論点候補2〉少子化になると、生産年齢人口（一五～六四歳）に対する老年人口（六五歳以上）の比率が上昇する。これによって年金など社会保障体制の維持が困難になる。若者の一人当たりの負担が増す。それが若者のやる気をそぎ、さらに子どもをつくらなくなるという悪循環に陥る。

〈論点候補3〉少子化になると、歳入減（労働力人口の減少、経済活動の停滞）と歳出増（社会保障の増加）により国家財政が破綻してしまう。

〈論点候補4〉少子化になると、地方の町などで高齢者の割合が増え、活気がなくなる。

四つの論点候補をあげたが、それぞれの論点によって解決策はまったく違う。

例えば、生産年齢人口が減ってしまうことが論点であれば、移民を増やす、女性の働きやすい環境を整える、高齢者の働く場をつくるなどの解決策がある。

若者の負担増加が論点であれば、これまでの高齢者に手厚い社会保障体制を改革し、若者の負担を減らし、労働意欲が増し、子どもをつくり育てられるような環境を整備することになる。これは高齢者に泣いてもらうという解決策である。

国家財政の破綻が問題であれば、少子化の問題としてとらえるのではなく、国全体として小さな政府をつくるとか、福祉を見直すなど、縮小均衡を考える。

町の活気がなくなるのが問題であれば、高齢者が楽しく活躍できるような施策を自治体が打ちだすことによって町は活気づく。

このようになにを解くべき問題ととらえるかで、解決策は違ってくる。

ところが現在は、少子化という現象をとらえて問題だと騒いでいる。問題をきちんと設定しないまま少子化に歯止めをかける、出生数や出生率を改善させようと躍起になっている。逆にいえば、この四つの論点すべてを満足させる答えがないことは明確であるのに、それに気づいていないか、気づかないふりをしている。それこそ、問題かもしれない。

少子化を問題として取り上げるのなら、例えば前述した四つのうち、どの問題を解決するために少子化対策をやるかと決めなくてはいけない。少子化対策だけやるというのはあり得ない。

このとき「この問題は誰の問題なのか」と考える必要もある。問題は人によって変わる。誰にとっての問題を解くかによって、問題はまったく変わる。

二〇〇八年三月期までの日本企業の収益は六期連続増益を記録した。企業経営という意味においては、二〇〇二年から六期連続で成功したといえる。

だが、それで社員が幸せになったかといえば、そうとはいえない。企業の業績は、経営者にとっては良好だが、社員はその恩恵に与《あずか》れなかった。賃金カット、ボーナス減少、解雇、正規雇用から非正規雇用への切り替えなどが行なわれた。

かつては、社員ががんばると企業の業績が上がり、その見返りとして、社員の給与・賞与も上がった。がんばりが給与・賞与に反映され暮らしもよくなった。企業と社員はいわば「ＷＩＮ-ＷＩＮ」の関係だったわけだ。ところが現在はゼロサムになって、経営者と社員の幸福感は反比例する構図になっている。全員がハッピーになる問題設定ができなくなっている。企業と社員の関係と誰のための少子化対策かという話は、問題の構造が同じだ。

だから、少子化現象によって引き起こされる若者の負担を解決するなら、高齢者に手厚い社会保障体制を改めるべきかどうかを議論する。

経済産業省、経団連などの立場で、労働人口の減少、ＧＤＰ・ＧＮＰの減少が問題なら、大々的に移民を入れるべきかどうか、女性や高齢者にもっと働いてもらうにはどうしたらいいかという議論になる。

高齢者の立場になれば、年金・医療制度を充実させて、安心して日々の生活を送れ、さらに楽しく活躍できるような施策を打ちだすために何をすべきかという議論になる。

仮に私のところへ「少子化問題を解決してほしい」という依頼がきたとしたら、そもそも少子化問題という論点の設定がおかしいと伝える。その上で目的はなにか、誰の問題を解くのかと質問する。若者の幸せか、国の経済力か、高齢者の幸せか（あるいは選挙の票か。その場合、私は受けないが……）。それによって、解決方法は変わってくる。

一・三四の出生率が一・五に改善されたところで、人口は減り続ける。本当に人口を増やしたいなら移民を受け入れればよいが、日本人にはなかなかむずかしいだろう。「文化摩擦、社会の階層化、差別など深刻な社会問題が生じかねない」「移民は一～三世代で少産のライフスタイルに同化する傾向にある」など、移民の受け入れはデメリットが多くメリットが少ない、との反論がある。実際介護の現場で東南アジアの人を雇用する動きがあるが、高齢者の評判は芳しくない。

人口が少なくても国民が暮らしやすければいいというなら、経済大国の看板を下ろし、政府は最小限まで小さくしてしまうのが現実的な解決策だ。ただ、それは官僚や経団連から見ると、あり得ない選択だろう。

論点をはっきりさせなければ、少子化問題は解けない。少子化対策の内閣府特命担当大臣は、解決できない問題を解決する大臣だ。きっと困っているに違いない。

▼論点設定せずに問題解決に取り組んではいけない

同じように、「オリンピックで日本が獲得する金メダル数を増やすにはどうしたらいいのか」という「問題」もこのままでは論点といえない。

この場合、「なんのために金メダルを増やすのか」と考える必要がある。例えば、国威高揚が目的なら、オリンピックの金メダルにこだわる必要はないだろう。もしかすると、ノーベル賞受賞数を増やす、でもいいわけだ。その場合、ノーベル賞受賞者を三倍に増やすのと、オリンピック金メダル獲得数を三倍にするのとでは、どちらが国民に対する国威高揚のインパクトが大きいかと考えて選んだほうがいい。

そうではなく国民の健康増進が目的だとしたら、オリンピックのようなハイレベルな目標を設定するのではなく、体力向上を図る別の施策を考えたほうがいい。

世の中には、論点をきちんと設定せずに「問題」だと思われているものが多い。きちんと論点を設定していないうちに問題解決を図ろうとしているから解くことができない。

ビジネスの例で考えてみたい。売上不振に陥っているG社の社長が、「我が社の課題は売上不振だから、この問題をなんとかしよう」といったとしよう。経営幹部であるあなたはどんな手を打つだろうか。

例えば売上増のために、価格を下げる、広告をうつ、販売促進策を打ちだす、営業にハッパをかけるなどのアクションを起こす。これらの対症療法は、一時的なカンフル剤としては効果をあげるかもしれないが、結局は長続きしない。

なぜならば、売上不振は現象にすぎない。

売上不振をもたらしている真の原因、すなわち論点は別にある。

例えば、商品そのものに魅力がない場合もあれば、商品力はあるのにチャネル選択、あるいはプロモーション戦略を間違っているために売上不振の場合もある。

「ここ一〇年間、売上げが横ばいで、かつ利益率が低下している」、G社の経営者がこの状況を改善したいと思い、コンサルタントに相談したとする。それに対して、コンサルタントはどう考えるか。

まず、「売上げが横ばい、利益率が低下」というだけでは論点にはならない。以下のようなものが論点となりうる。

〈論点候補1〉業界が成長しているにもかかわらず、G社だけ売上げが横ばいで利益率も低い。

〈論点候補2〉業界全体が低成長で、G社も例外ではない。しかし、業界内で利益をあげている会社もある。例えば、低成長の電鉄業界で減収増益を達成した京王電鉄のような企業が存在している場合もある。

〈論点候補3〉過去においては本業が成長鈍化する中で必ず新規事業・新製品がタイミングよく出てきたが、最近はまったく出てこない。例えばソニーでは、テレビが衰退期に入ると、ウォークマンやディスクマンが登場し、それらが衰退期に入るとプレイステーションが登場した。ソニー全体を底上げするような画期的な新製品、新事業が登場してきたのだが、いまのソニーはそうではない。これと似たケースである。

〈論点候補4〉本業が縮小する中で、新規事業に力を入れており、売上げも順調に伸びている。しかし、本業の落ち込みを補うのが精一杯で、新規事業の利益率は低い。この場合、新規事業の利益率は構造上、そもそも低いのか、立ち上げ時期であるために低いのかというサブ論点も考えられる。

▼どこにでもある一般的な問題は論点にならない

経営者が「うちの会社は利益があがっていない」「○○社より利益があがっていないのは問題だ」と悩んでいる場合、それが本当に問題かどうかは、きちんと見極める必要がある。当初に立てた計画と違っている、あるいは経営者がこうすれば儲かるはずだとやってみたら思惑が外れて儲からなかったという場合にはじめて論点になる。

そもそも企業は多くの問題を抱えている。売上げや利益といった数字的な問題もあれば、社員のモチベーションが低い、社員定着率が低い、労働環境が悪いなどの問題もある。

だが、それらは一般的には問題といわれるものであっても、その会社にとっては論点ではないことが多い。

一般的な問題をすべて解決しようとすると、短所がないかわりに長所もないという特徴のない会社になり、収益もあがらない。業績のよい会社はどこも、突出した部分をもっている。一般的には問題といわれるものを抱え、荒削りに見えても、突出した長所によって欠点をカバーし、業績を上げていることが多い。

例えば、リクルートはその典型的な例だろう。

リクルートでは、力をつけて業績をあげている若手社員がどんどん退社、独立していく。社員定着率という指標で見ると、リクルートは大きな問題を抱えた会社ということになる。だが、それがあの会社の強さでもある。

そこを間違えて、社員定着率を高めることばかりに注力したら、起業家精神旺盛な社員のモチベーションが低下してしまうかもしれない。

論点は一見してわかる単なる問題点（現象・観察事実）ではない。このことを最初に頭に刻み込んでおくことが大事だ。

新聞をにぎわす銀行のATMシステムのダウンのようなコンピュータ・システムのダウンはさまざまな原因で起こる。例えば、ハードウェアのトラブル、ソフトウェアのトラブル、ネットワークのトラブルである。このとき、ハードのトラブルなのにソフトを見直してもどうにもならないし、ソフトの問題なのにハードの調子を見てもシステムは復旧できない。

しかしながら、症状から原因を見極める最初の診断が実は最も高度でむずかしい。止まったコンピュータ・システムを見て、それがハードのせいなのか、あるいはソフトウェアのせいなのか、またはネットワークのせいなのかを短時間で見極めるのは、システムが複雑だったり、よそのシステムとつながっていればいるほどむずかしいことは想像に難くない。きちんとした診断さえできれば、問題解決のスピードは速くなる。企業の抱える課題も、複雑性が増す現在では、こうしたコンピュータ・システムの課題に似ているかもしれない。本当の原因と症状が出るところが直結していない場合が多いのである。

▼本当にそれが論点か

論点を見つけるには、「本当にそれが論点か」とつねに疑問をもつ。「これが問題だ」という人の話を聞いて「なるほど」と思ってもそこで思考を止めてはいけない。「なるほど……でも、なぜなのか」と、「なぜ」を繰り返す。

例えば、業界他社に比べて営業部隊の生産性が低いという会社があったとしよう。なぜ営業の生産性が低いのかと考えてみる。

「行くべき顧客に行っているか?」

「頻度は適当か?」

「会ったときにやるべき活動ができているか?」

「やるべき活動をやったときに、あがるべき売上げがあがっているか?」


このように考えることで、「そもそも行くべき顧客に十分行っていなかった」という問題が見えてくることがある。

そこでさらに掘り下げて考える。重要なのは、「なぜ行くべき顧客に十分行けていないのか」という原因をさらに考えながら深掘りしていくことだ。

例えば次のように掘り下げてみる必要がある。


「なぜ、どの顧客が行くべき顧客なのかわからないのか」

「なぜ、行くべき顧客なのかはわかっているのに、行くべき必要性を感じないのか」

「なぜ、必要性は感じていても後回しにしてしまっているのか」

「なぜ、実際に訪問しようとしても会ってもらえないのか」

「会ってもらえたとしても本当に会うべきキーパーソンなのか」


これをさらに掘り下げる。「わかっていても行くべき必要性を感じない」なら、なぜ必要性を感じないのか。

深く考えることによって、営業担当の意識も含めて考えていかないと本当の正しい打ち手が打てなくなる。

必要性を感じていても後回しにしてしまっているなら、なぜ優先順位が低くなっているのかを考えてみる。訪問しようとしても会ってもらえないなら、会ってもらっている会社はどのような会社で、会ってもらえる会社と会ってもらえない会社の要因はそれぞれなんなのかを考える。

「なぜ」を繰り返して課題の真因に迫っていくことができる。

3 論点は動く

▼論点は人によって異なる

ＢＣＧのコンサルタントは毎日のように「論点はなにか」と議論し続ける。これは論点思考の重要性とむずかしさを物語っている。

論点思考がむずかしいのは、論点候補が無数に存在し、その中からこれはと思う論点を見つけて深掘りしなくてはならないこともあるが、それに加えて、論点が動くからである。

なぜ動くかといえば、それは、

①論点は人によって異なる
②環境とともに変化する
③論点は進化する

からである。

まず、論点は人によって異なることについてお話ししていこう。

例えば同じ会社でも社長が抱えている経営課題と営業部門のトップが抱えている経営課題はおのずと違っている。ましてや経営者と担当者や課長レベルが抱える課題とでは、天と地ほどの違いがあるといっても過言ではない。

同じ会社でも経営者と財務担当者とは違う。ある事業部が不調であるときに、なんとか立て直そうと思っている事業部長と、その事業は撤退してもいいと思っている経営者とは違う。

例えば、現在のトヨタ自動車の論点はなにかと考える場合も、誰の立場で見るかによって論点は異なる。株主であれば成長性こそ論点と考えるだろう。CEOであれば今後の経営方針であろう。営業責任者であれば海外市場、とりわけ米国市場での業績回復かもしれない。さらに開発責任者であれば次世代自動車の開発とデファクト・スタンダードこそ論点と考えるかもしれない。このように立場によって論点は変わる。

このように話すと、あなたは当たり前のことと感じるかもしれない。ところが、実際にあなたが問題解決を図ろうとするときは、えてして、誰の論点を解いているのかを忘れてしまう。これは要注意だ。

というのも、誰の論点を解くかによってアプローチも違えば答えも違ってくる。さらには誰を満足させるかも違ってくる。誰の論点を解くかを間違えると、まったく違う答えを出してしまう。これは試験官が複数いて、試験官ごとに出題内容が違っているようなものだ。解答する前に、どの試験官の問題を解くかを判断しなくてはならない。

▼論点は環境とともに変化する

論点は、実はさまざまな外的要因や内的要因の影響を受けたり、トップの問題意識が変わったり、優先順位に変更があったりして、動くことが多い。

論点は「点」と表現されるから静的なイメージがある。だが、これはつねにダイナミックに動く。非常に動的なものだ。

これまで最優先課題として自社の製品の認知度を上げるために広告や販売促進などの

マーケティング政策に力を入れてきたところ、競争相手から画期的な新製品が出て、一から見直しを迫られるということはよくあることである。例えばソニーがMDウォークマンのプロモーションや新製品開発に力を入れているときに、アップルから突然iPodが出てきた例が典型だ。それまでのいかに優れたマーケティング戦略を展開してMDウォークマンの地位を盤石《ばんじゃく》のものにするかという論点から、iPodに対してどのような対抗戦略をとるのかに論点が変わってしまったわけだ。

これは試験問題を解いている途中で、別の問題を渡されるようなものだ。学校の試験ではあり得ない話だが、ビジネスの場面では日常茶飯事である。例えば前述したトヨタの例でも、時代とともに論点は変わる。

二〇〇八年前半までは急増する需要や資源高騰に対応するために、品質を落とさずに生産をどう増やしていくかが論点だったろう。しかし、サブプライム不況以降、米国市場の冷え込みを受け、利益確保や新興国での売上成長が最大の論点となっているかもしれない。あるいはこれまでトヨタの強みと考えられてきたコスト競争力が、いつの間にか高コスト体質になっていたり、インドのタタ自動車の登場などでその地位が脅かされている。そうなるともう一度原点に戻って、いかに低コストで車をつくるかが論点に変わっている可能性もある。

さらに、同一人物であっても論点は時とともに変わる。それは企業のトップにとって環境が変われば解決すべき問題が変わるのはもちろんのこと、ステージが進化することで解決すべき問題、すなわち論点が変わっていくことも多い。

例えば、製薬会社のトップにとって新薬開発は成功させなければならない大きな論点である。その場合は、薬の効果が確実に既存製品より優れていること、副作用がないこと、役所の認可をできるだけ早く取ることなどが中論点になる。ところがいったん開発に成功した暁《あかつき》には、今度はその薬をどのように販売していくのか、あるいは海外市場を独自展開するのか、地元の大手製薬会社に販売委託すべきかなど、刈り取りを最大化することが大論点になってしまう。

あるいはオーナー経営者の場合、創業当初は自分の立ち上げた事業をいかに成功させるかが最大の論点であっただろう。ところが時間がたつにつれて、創業者である自分が退任した後も企業が存続し続けるためにはどうしたらよいかというのが大きな論点となる。いわゆる後継者問題や企業のマネジメントシステムの構築などがそれにあたる。

▼論点は進化する

仕事を進めるにつれて論点が動くケースもある。作業を進めるにつれて、当初考えていなかった論点が浮かび上がってきて、そちらのほうがより本質的な課題であることに気づくことを意味する。

例えば、あなたが上司から業績不振を打開するために、新規顧客開拓および新製品開発を命じられたとしよう。上司は業績不振の論点を「新規顧客開拓ができていないこと」「新製品開発ができていないこと」ととらえたわけだ。

あなたは、まず新規顧客開拓のための調査を行なう。新規顧客がどこにいるのか、潜在ニーズとしてどういう不満があり、どういう妥協をしているかなどを把握する。さらに、競合他社がどういうアクションを行なっているか、自社の経営資源の強み・弱みなどを分析する。また、新製品開発の準備として、市場調査なども行ない、開発すべき製品のコンセプトをつくり上げる。

こうした分析を行なううちに、どちらも膨大な時間とエネルギーが必要な割に、成果が不確実であったり、小さいとわかった。新規顧客開拓や新製品開発をするよりも、既存顧客を掘り起こし、現行商品の販売を強化したほうが、短期的に成果があがり、かつ成功確率が高そうだ。

そのことを上司に伝えると、「そのとおりだな。既存顧客の掘り起こし、現行商品の販売強化をやってくれ」という。

その瞬間、新規顧客開拓や新製品開発は意味がなくなり、現行商品を既存の顧客にどう売っていくかという既存顧客の掘り起こしが論点になる。

このように、論点は作業を進める中で進化する場合が多い。

▼作業や議論で別の論点が見える

別の例を紹介しよう。

あなたの会社の業績不振の理由について、「開発・生産・販売の整合性が取れていない」という論点が打ちだされたとしよう。

開発部門は、製品が売れないのは営業がきちんと販売しないことが原因と考えているが、実は顧客ニーズを把握しないまま製品開発をしている。

生産部門は、営業の販売予測を信用せずに独自に生産計画を立てている。

営業部門は、生産部門がどれだけ売れ筋商品を生産してくれるかわからないので、つねに多めの注文を出している。各部門が自分の理屈で勝手に行動しているので、つねに在庫があふれたり、足りなかったりする。

そこで、あなたがその原因を調査すると、各部門の業績評価システムが部門内最適を図るようにできているためだと気づいた。

営業部門は、販売の実績のみで評価を行ない、在庫が膨らんだとしても評価に関係ない。だから在庫を意識せず、販売実績をあげようとする。生産部門は、生産計画どおりに生産されたか、品質に問題ないかは評価されるが、生産したものが売れたかどうかは評価に関係ない。開発部門は、新製品が計画どおりのコスト、タイミングで開発されたかどうかは評価されるが、開発したものが売れたかどうかはあまり評価に影響しない。

そうなると論点は「開発・生産・販売の整合性が取れていないことが問題」ではなく、「各部門の評価基準がバラバラで、結果として全社の整合性が取れていないことが問題」へと一段進化する。

これで論点の設定ができたかと思って、このことを経営幹部とのミーティングで話してみるのだが、どうもしっくりこない。そこで念のために他社のケースを調査してみると、同様の評価システムでも開発・生産・販売の整合性が取れている会社も多くあった。

ではなぜ自社では開発・生産・販売の整合性が取れていないのか。俯瞰《ふかん》して考えてみると、経営トップのリーダーシップの問題にたどり着いた。トップは販売部門出身で、販売のことに関してはマインドシェアが高いが、開発、生産に関しては低い。そのことが部門間の連携不足を引き起こし、業績不振が生まれていたのだ。そこに真の論点があると気づいたのである。

このように、自分が作業をしたり、議論をすることで、当初は論点だと思っていたことが、実は論点ではなかったり、あるいは同じ論点でもさらに深掘りする余地があることに気づき、論点が進化することもある。

第3章

当たり・筋の善し悪しで絞り込む

The BCG Way——The Art of Focusing on the Central Issue

1 当たりをつける

▼なぜよい釣り場がわかるのか——仮説をもつ

論点を絞り込む際、大きなポイントが二つある。一つは「当たりをつける」、もう一つは「筋の善し悪しを見極める」ことである。

「当たりをつける」とは、例えばこういうことだ。

魚釣りをするとき、釣り人は「この辺り」と思って釣りを始める。それは経験と勘による判断だ。そこでヒットしなければ、その周辺で少し動き回り、それでもダメなら思い切って別の釣り場に移動する。

図表3-1　当たりをつける

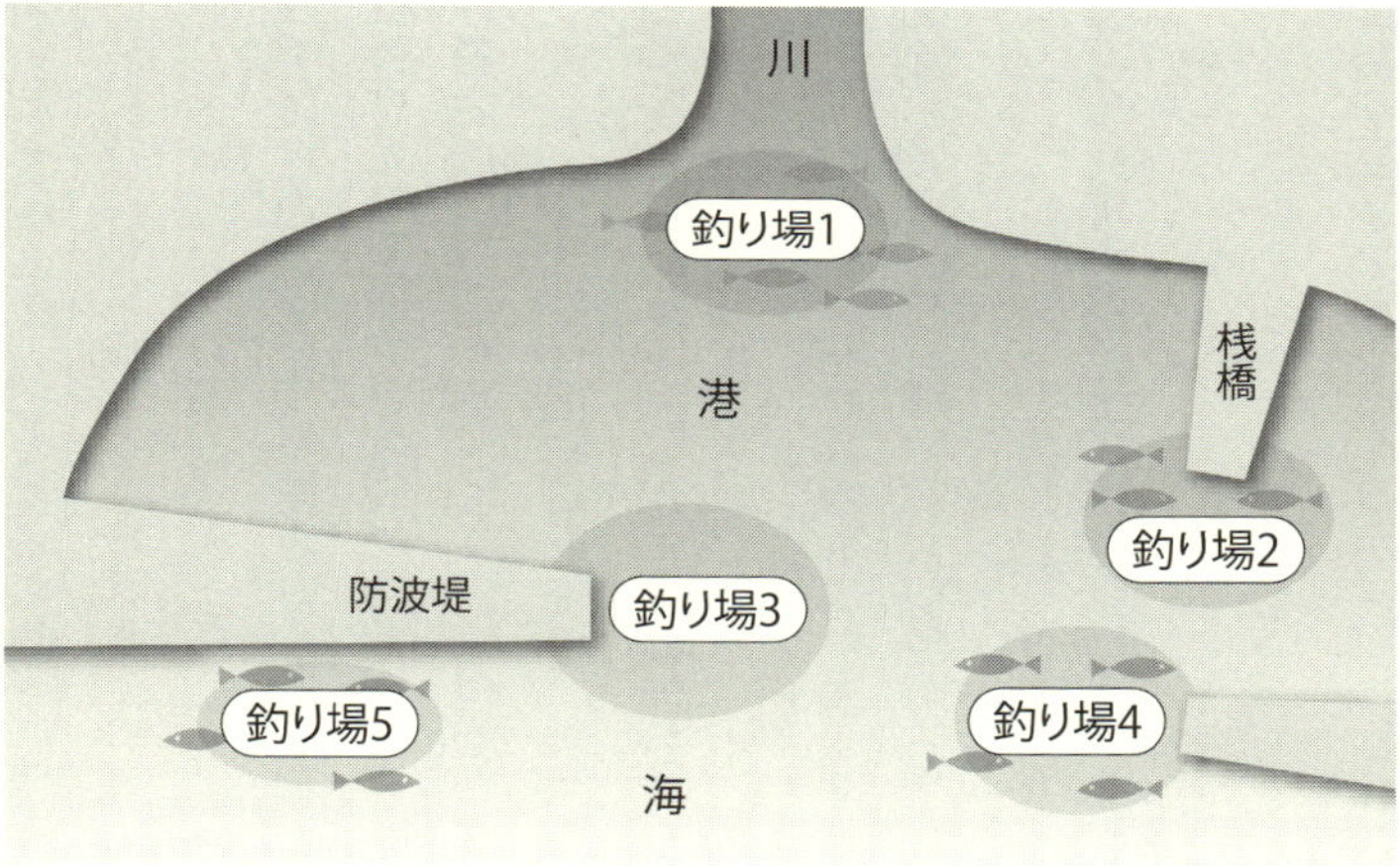

図表３－１でいえば、釣り場３で始めて、そのエリア内で場所を少し移動し、それでもダメなら思い切って釣り場２に移るというような動きである。これは決してロジカルなアプローチではない。

当たりをつけるというのは、それに似たところがある。

これをロジカルにやるとしたら、例えば釣り場全体を五〇メートル四方の方眼にマッピングし、一カ所ずつ場所をずらしながらしらみつぶしに釣っていく。そして、大量の当たりが出た所で、そこを釣り場と決めて腰を落ち着けるということになる。

だが、誰もそんなことはしないだろう。経験に基づく判断によって、この辺りには魚がいそうだとか、朝方はこの辺りには魚がいないことが多いとか、こちらで試してダメなときにはこの辺に移ったほうがよいなどと判断しながら、少しずつ釣り場を特定していく。

このアプローチは自分の経験や考察をもとに立てた仮説を駆使していくという点で、前著『仮説思考』で提唱した仮説思考そのものでもある。数多くの論点候補の中から、仮説を使って論点に当たりをつけているのである。

▼白黒つけられそうなところからアプローチする

ビジネスにおける論点設定もこれとよく似ている。

例えば、売上げが横ばいで利益率が低下しているという業績不振の会社（H社）があったとしよう。

この場合、比較的容易に白黒つけられそうなところからアプローチするのが標準的な方法だ。例えば、

- 業績不振は一時的なものか、それとも長期間続いているのか。

- 特定事業や部門で起きている問題なのか、H社全体で起きている問題なのか。
- 業界全体が不振なのか、H社固有の問題なのか。

などと考える。

その結果、業界全体に共通した不振で、H社全体に見られる現象であり、かつ長期間続いているとすれば、これは一企業を超えた構造不況ということになる。そうなると答えるべき問いは、「業界全体が構造不況に陥っている中で、H社がそこから脱出できる方法はあるか」となる。

逆に、一部門の一時的な問題で、業界には関係ないことがわかれば、「その部門の戦略上の失敗はないか」「リーダーシップに代表されるマネジメント上の問題はなにか」などが論点となる可能性が高い。

もう一つ別の例をあげよう。「自社商品は競合商品にシェア争いで負けている。なぜ負けているのか」というケースを考えてみよう。そのときも以下のように白黒つけられる問いを設定する。

- 認知されているのか、認知されているがお店で売れていないのか。

• 店の棚に並んでいないのか。棚に並んでいるけれどもトライアル（試し買いの意味で、はじめての購入のこと）がされていないのか。
• 購買がリピート（同じ商品を繰り返し購入すること）されていないのか、リピートされているけれど、リピートしている人の一人当たりの年間購入数が少ないのか。

このように分解して考える。

▼仕事の依頼者の関心の低い分野を探る

こうした方法のほかに、私がよくやっているのは、経営者が問題意識をあまりもっていない分野に注目する方法である。

例えば、経営者が「営業に問題がある」といっているときに、商品開発や生産に目を向ける。というのも、経営者が関心をもっている分野は、企業の中でも比較的しっかりマネジメントされているのに対し、経営者があまり関心をもっていない分野に大問題が潜んでいたり、改善の宝の山があったりすることが多いからである。事業会社のビジネスパーソンなら、仕事の依頼主（社長、部門長、上司）の関心がうすいところを疑ってみるべきだ。

あるいは組織と組織の隙間や接点にもヒントが多い。例えば在庫が問題になっていると き、生産部門は売れもしない製品を「売れる」といって在庫する営業部門が悪いと非難し、営業部門は売れる商品の生産は間に合わず、売れもしない商品ばかりたくさんつくっていると生産部門を非難する。営業と生産の責任のなすり合いである。これをどちらがいいか悪いかにけりをつけることが論点の場合もあり得るが、えてして営業と生産の間でしっかりとした情報共有が行なわれていないためにムダな在庫が発生したり、売れるべき商品の機会損失が発生していることのほうが多い。その場合は両者の情報がなぜ共有されていないのか、あるいはそれをどう共有させるかというのが取り上げるべき論点となる。

当たりをつけようという意識をもった上で、さまざまなケースを経験していくと、自然と当たりがつけられるようになる。

はじめのうちは失敗も当然あるが、経験から学べるところが大きい。逆に、しらみつぶしのやり方、すべてを網羅的に調べるという意味で網羅思考と呼ぶが、これを続けていると、いくら経験を重ねても、いつまでたっても当たりのつけ方を学ぶことはできない。したがって論点の当たりをつける際には、仮説思考（仮説を立てて検証することの繰り返し）を使うことが重要である。

▼芋づる式アプローチ――「なぜ」を五回繰り返す

もう一つ、芋づる式アプローチという手法を紹介しよう。これは『仮説思考』でも紹介した、「なぜ」を五回繰り返すのと同じものだ。

例えば「基幹ブランドが売れなくなった」という話がよくある。これがお菓子メーカーだとすればこんなふうにアプローチしてみる。

- 基幹ブランドはいくつあるのか。
- 自社の基幹ブランドだけが売れないのか、他社も売れなくなっているのか。
- すべての基幹ブランドが売れなくなっているのか、それとも一部の基幹ブランドだけなのか。
- ジャンルごとに違っていて、大人が食べるお菓子については相変わらず基幹ブランドが売れているが、子どもが食べるものが売れなくなっているのか。
- その場合、売れなくなっている量と子どもの人口の減少とが、相関関係にあれば、売れなくなっているのは当たり前だ。だが子どもの減少以上に売れなくなっているのはなら、それはライフサイクルの終わりが来ているのか。

このようにいろいろな可能性を芋づる式に掘り出して、つぶせないところとか、引っかかるところが出てくる。

例えば、自社内でも売れ続けているブランドとダメになったブランドがあったとする。その場合、まずそれらの商品が同時期に発売されたブランドかどうかをたしかめる。もし同時期に発売された二つの商品で、売れ続けている商品と売れなくなっている商品があったとしよう。その要因はなにか。

例えば、片方の製品分野では競合ブランドが強力なライバル商品を出していないか。競合の状況が変わっていないとしたら、消費者が変わったのか。

消費者が変わったというのは、母集団が小さくなったのか、母集団のニーズや志向が変わったのか。前者であれば、子ども向けの商品であれば放っておいてもパイは縮小する。後者であれば、以前に比べてコーラなどの炭酸飲料が飲まれなくなって、かわりにお茶や水が飲まれるようになってきたことなどが典型例である。

このように基幹ブランドが売れない理由が、どんどん深掘りできる。それで真の論点にたどり着くのが芋づる式アプローチだ。

▼深まるか、転調するか

ある商品が競合に負けている。そこで競合ブランドに勝ちシェアを上げたいという依頼があったとしよう。

いったん買ってもらった後のリピート率は高いのに最初に買ってもらう人（トライアル）の数が少ない。なぜトライアルしてくれないかを調べたら、認知率はあるのに営業が回っていない。店に置いていない。それならば、「もっと営業を強化しなくてはならない」と考える。店頭には並んでいるが、認知率が低いから誰も手を伸ばさないならば「認知率を上げなくてはならない」と考える。

お客がトライアルしてくれているのに、リピートにつながらないのであれば、「この商品はまずいのではないか。商品開発を強化したほうがいい」という当たりをつける。

これをさらに調べていくと、同じ論点がどんどん深まっていくケースと、論点が転調する、すなわち他の論点に目を向ける必要が生じるケースがある。

うまく深まっていくケースから紹介しよう。なぜトライアル数が低いかと消費者セグメントごとに調べてみたとしよう。年配主婦、若い主婦、子どもがいる人、いない人などと集団ごとに調べてみると、年配主婦には認知率が高いが、若い主婦には認知率が低い。その理由は、テレビＣＭをうっていた番組が、年配者向けばかりだった。そこで手を打つと、認知率が上がり、トライアル率が上がり、リピート数も上がっていく。このように論点が深まっていくケースでは混乱も少ない。

一方でむずかしいのが転調するケースだ。例えばどの論点も決定的なものにならない場合だ。例えば、競合に負けている要因をいくつか調べてみると、どこも微妙に負けている。どこか一カ所で改善するのがむずかしい。なにが悪いというわけではないが、なにかが悪い。これができたらいい、あれができたらいいということがいくつもあるのだが、全部やるのは無理だ。

例えば、競合ブランドにシェアで負けているとき、認知率、配荷率、トライアル、リピートなどを比較し、以下のような数値が出たとする。

	認知率	配荷率	トライアル	リピート
競合	九〇%	九五%	八〇%	六〇%
自社	八〇%	一〇〇%	七〇%	六〇%

このように有意な差が出ていない場合は、一つひとつの論点、例えば認知率や配荷率の数値を深掘りするアプローチはあきらめる。要するにそれまで深掘りしていた論点がズレていたということである。

この場合は違う視点での論点を拾い直すのである。例えば地域別の違いが原因ではないか。あるいは競合ブランドは伸びているチャネルでシェアを伸ばしているのに対して、我が社は昔ながらの伝統的チャネルに力を入れているのがシェアの差につながっているのではないか。このようにトライアル率やリピート率とはまったく異なる視点で論点を考えてみるのである。

2 「筋の善し悪し」を見極める

▼「解決できるか」にこだわる

論点を設定する際にやっかいなのは、真の問題である論点の周辺に、それに付随する中小論点や、論点もどきが見え隠れすることだ。ときには間違った問題、解けない問題に出会うこともある。

論点らしきものが目の前に現れたとき、私は次の三つのポイントで問題を検討する。

①解決できるか、できないか。

②解決できるとして実行可能（容易）か。
③解決したらどれだけの効果があるか。

まず、「解決できるか、できないか」を見極める。解けない問題にチャレンジしても成果はあがらず、時間と手間がムダになるだけだ。解けないとわかったら、その論点はすぐに捨て、論点設定をやり直す。

解けない問題にチャレンジするのは無意味である。

学者が研究の場面で、解けない問題にチャレンジするのはいい。未知の領域の研究、難問にチャレンジすることは人類の進歩につながる可能性がある。例えば数学の世界には、ミレニアム懸賞問題というものがある。クレイ数学研究所によって一〇〇万ドルの懸賞金がかけられている七つの問題だ。すでに解決されたのはポアンカレ予想だけだが、他も難問ばかりである。

それぞれ学問的には重要な問題だが、こうした問題に向き合うことはビジネスにおいては最悪だ。大事なことは、難問をクリアすることではない。仕事で成果を出すことが大事だ。

解けない論点に着手して、道半ばで挫折した経営者、頓挫した経営改革というものはとても多い。一方で、前述したジュリアーニ前ニューヨーク市長の例からもわかるように、眼に見えて効果が表れる小さな問題から着手することで、最終的には大きな問題を解決するケースもある。ビジネスでは、後者であるべきだ。解けない問題にチャレンジするのは無意味。私たちコンサルタントは「解決できるか、できないか」にすごくこだわる。

▼解ける確率の低い論点は捨てる

具体的に、ビジネスにおける「解決できない問題」とはどんなものか。

例えば、経営資源にかぎりがある小規模企業が、リーダー企業と同じような商品開発を行なって対抗しようとする場合である。例えば、船井電機はすでに成熟期を迎えた製品を徹底的なローコストで生産するという点に関して、大変優れた経営を行なっている企業だ。その船井電機が、もしソニーと同じような新製品開発ばかりやっていたら開発投資がかさんで、今頃倒産していただろう。

あるいは、一〇〇に一つの幸運、例えば、「過去五年やっても芽の出なかった研究開発がなぜか今年は成功して、しかも特許が取れる」といった類《たぐ》いの話が続けて三回起きれば、売上げもシェアも上がる、というような話である。この話のたちが悪いのは、「一〇〇分の一の確率の幸運が三回続けて起こる」という確率の低い話であっても、絶対に起こらないとは言い切ることができないことだ。

「研究開発がうまくいって製品開発につながり、予定期間内に商品が発売でき、消費者から圧倒的な支持を得た。その後も競合は類似商品を出さず、独自のマーケットを確立することができる」もその類いだ。こういうケースがまったくないとは言い切れない。「iPodはそうだったではないか」「Wiiがそうだったではないか」と反論されるかもしれない。しかし、客観的に見て、それはほとんどあり得ない。

コンサルタントをやっていて困ってしまう依頼に、「実現が不可能に思えるが、それを証明してくれ」というものがある。あるメーカーの経営者から、うまくいっていない技術が本当に使いものになるかどうか見てくれと頼まれたことがある。経営者は長年の経験で、「どうも使いものにならないのではないか」と疑っているが、プロジェクトの責任者が、「開発がもう少しのところまできているので、あと少しだけ待ってほしい。そうしたら必ず競争相手を凌駕《りょうが》する画期的な製品が生まれる」と主張している。経営者にはそれを違うと判断するだけの知見がない。さらに、いまその開発を中止してしまえば、これまで投資してきた何百億円がムダになる。経営者も少しもったいない気がして、捨てきれないでいた。

私がプロジェクト責任者から話を聞くと、こんなことを話してくれた。

「今開発中の技術改良に成功すると市場で圧倒的な優位性を築ける。その技術を使った生産を行なうには、追加の設備投資があと一〇〇億円必要だが、これまで使った数百億円に比べれば微々たるものだろう。現在予定した生産の歩留まりが半分にとどまっているために生産コストが当初予定の倍かかっているが、実際に生産を開始すれば、経験とともに予定の歩留まりまで改善するはずだ」

話を聞いてどうにもうさんくさいと思ったが証明するとなるとむずかしい。

そこで我々は成功確率がどれくらいあるかを計算してみることにした。

責任者曰く、技術改良に成功する可能性は三カ月以内は五％くらい、半年なら三〇％、一年でやっと五〇％ということ。また設備投資はともかく、その後実際に操業を開始してからの歩留まり向上の可能性は当初の計画の八割が限度であることも判明した。

この成功確率を計算するために、モンテカルロ・シミュレーションという手法を使った。それぞれの要素の成功確率が何パーセントあって、どんな分布をしているのかを想定し、それをもとに実際にコンピュータを回して何千回、何万回と試してみる。その結果、技術開発が成功して黒字になることは一万回に二〇〇～三〇〇回の可能性しかないことが判明した。いまから一〇〇億円突っ込んでこの事業で利益が出る可能性は二～三％程度しかなく、最悪数百億円の赤字も出る可能性も含めて、平均期待収益は大きなマイナスであることがわかった。もちろん二～三％でも可能性があれば、それにかけるのも立派な経営判断だが、経営者は「これはかけるに値しない。残念だが、いまのうちに撤退したほうが傷は小さくて済む。だから撤退しよう」と判断した。この事業は、会社存続を脅かすほどの赤字を出していたから、「区切りがつけられた」と感謝された。

解けそうもない論点とはそういうものだ。できそうもないことに力を使うのはいけない。その次に「解決できるとして実行可能（容易）か」を考える。解決できるとわかっても、それが手持ちの経営資源（ヒト、モノ、カネ）で実行可能か、解決までにどれくらいの時間がかかるか、本当に解決する気持ちがあるか、最後までやれるかと考える。

例えば米国の場合、従業員を半分解雇することによって企業体質が強化され利益が増えるとわかれば、それを実行に移してしまうケースも多い。ところが日本企業の場合は人を半分解雇するという意思決定は普通の経営者にはそう簡単にできないのが実情だ。

そうした実行可能性を考えると、ときにはこの大論点に着手することが、必ずしも最善手でないこともある。問題を解くときに、「一番重要な問題から解く」という方法と「解ける問題から解く」という方法がある。この場合、後者のほうがうまくいく可能性がある。前者を選択すると実行に時間がかかりすぎたり、途中で壁にぶつかったりして、論点の解決にいたらないケースがあるからだ。

そして三番目に、解決した場合、どれくらい効果があるかと考える。苦労して実行しても、効果の上がらないケースはある。それでは意味がない。よくあるのが、自分では課題を正しく解いたつもりでいるが、それを実行したところで全社的なインパクトはほとんどなく、本人の自己満足に終わっているケースだ。

最近の事例でいえば、コンプライアンスに関して、委員会を立ち上げ、マニュアルを整備し、それらが遵守されているかどうかの監視システムまでつくり上げる。これで不祥事がなくなるのであれば結構な話だが、コストをかけた割には成果は少ないのではないだろうか。

▼筋の善し悪しを見極める感覚

我々コンサルタントは「筋がよい、悪い」という。極めて感覚的な言葉であるので、まずは使用例から見てもらうことにしよう。

ある企業からこの問題を解決してほしいといわれたとき、それが非常にむずかしい問題だったり、目をつぶって針の穴に糸を通すような成功確率しかないときに筋が悪いという。

あるいは、ある人が企業改革のためにこうしたらよいという答えあるいは確信をもっているときに、それがどう見ても筋違いで、そんなことやっても企業がよくならないと思うときに、その人の答え(仮説)は筋が悪いという。

逆に、これを解決すれば業績がよくなる、シェアが上がる、社長の悩みが解決するなどが見えている答え(仮説)の場合は筋がよいという。コンサルタントで、何度仮説をつくっても正しい仮説がつくれず、的外れだったり、真の仮説の周りをぐるぐる回るだけの場合に、彼は筋が悪いというふうに使うこともある。

いずれも結論が出る前の段階でのコメントである。したがって、筋が悪いといった人間が間違っている場合もないわけではないが、多くの場合は筋が悪いといった事象については、いくら一生懸命分析したり、実行しても大した結果しか出ないことが多い。こうした筋の善し悪しが判断できないコンサルタントは大成しないというのが真実なのである。

筋の善し悪しという言葉は、囲碁でも使われる。局所的、短期的、短絡的、近視眼的、場当たり的が囲碁において「筋悪」といわれる思考パターンである。筋の悪い人は時間的、距離的に「目の前」しか見えない。一方、筋のよい人の思考は長期的、大局的、広域的である。

▼選択肢の数も重要なポイント

ビジネスの場面で考えてみたい。ある消費財メーカーI社が売上低下に悩み、なんとかしたいと思っていた。少し調べてみると、I社の製品は競争相手に比べて劣っているわけではなく、むしろ優れているところがある。また製造方法に特徴があり、生産量をあと二、三割増やせれば、生産コストがかなり下がると予想できる。

競合はプロモーションに力を入れており、消費者の認知度が高い。その結果、小売店段階では、競争相手の製品のほうが扱っている店舗数も多く、棚のスペースも自社より多い。それが競合とのシェアの差になっていると考えられた。

こうした場合は、マーケティングミックスを工夫して、価格政策やプロモーション政策、あるいは卸・小売店対策をいじれば、売上げを増やすだけでなく、利益の改善も見込めるために、こうした施策を我々は筋がよいと考える。明らかにまだ自分のもっている経営資源を十分に活用していない上に、操作できる変数が多数残っている。要するにオプション（選択肢）の数が豊富で、それぞれをいじった場合の改善幅が大きそうなのである。

一方、筋が悪い例をあげてみると、J社も同じく消費財メーカーで同じく売上低下に悩んでいる。ただし、J社の場合は、業界ナンバーワンで五〇％以上のシェアを保っているが、得意としているのは年配向けの製品である。

業界全体ではマイナス成長で、とりわけJ社の得意な高年齢層では、年々一人当たり使用量が減っている。一方、二番手企業はシェアではJ社に劣るものの、若者向け市場で圧倒的な地位を築いている。J社も若者向けの商品をそろえてはいるが、年配向けのイメージが強く、競合の若々しいデザインやネーミングに比べて人気がない。製品に対するイメージ調査の結果は、「お父さん・お母さんの〇〇」という結果になっている。

製品についても、年配者は大げさな商品変更を望まないと考えてきたために、どちらかというと小手先の改良にとどめてきた。結果として研究開発費はあまり使われず、製品開発力で競合に大きく見劣りする。これが少ない投資で大きなリターンをもたらしてきた要因の一つである。

ターゲットセグメントの見直し、あるいは現行商品のプロモーション戦略といったマーケティングミックスの視点で見ても打ち手はかぎられる。あるいは、製品開発部門のもつ経営資源から見ても打ち手がかぎられるので筋が悪いということになる。オプションがかぎられている上に、手を打ったところで競合に勝てる可能性や消費者の心をとらえる可能性が少ない、すなわち改善幅が少ないということになる。筋の善し悪しの一つの基準は、オプションの数が多いか少ないか、あるいはそのオプションを選択した場合の成功可能性やリターンが大きいかどうかである。

▼実行すれば成果があがるのは筋のよい論点

筋のよい論点とは、かなりの確率で答えが出そうな論点であることが必要条件。そして、その解決策を実行したら、企業として成果があがりそうなもの、ここまで満たしていれば十分条件といえる。

つまり、簡単に解け、容易に実行でき、実行すると大きな効果が短時間で表れるのが「筋のよい」論点。反対に、解くのがむずかしい上に、解いたとしても実行がむずかしく、実行しても効果がなかなか表れない、表れたとしても小さいのが「筋の悪い」論点ということになる。

仕事には期限がある。工数もかぎられている。その中で問題を抽出し、選択し、解いて成果をあげなければならない。成果をあげるには問題選びが大切だ。ジュリアーニ前ニューヨーク市長の例で示したように、解いて効果の上がる問題がよい問題なのだ。

筋の悪い論点に直面したら、論点設定をやり直す。いくらすばらしい論点でもそれを解決する手段がないのであれば、企業にとって意味はない。あるいは解決したところで、その効果やインパクトが知れているということであれば、これもまた意味がない。たとえその問題を解決したとしても、得られる売上げや利益が小さい場合、あるいは、組織面や業務面で見て会社にとってインパクトが小さい場合などである。これをやっても会社はよくなりそうにない、あるいは、もうすでに競合企業がなんらかの形でやっているために今さら自社がやっても効果がないというのも、筋が悪い。

この筋の善し悪しを見極めることが、論点を絞り込む際のもう一つの要素である。

筋の善し悪しを見極める判断基準は、「その問題が解決したときに、事業は本当によくなるか、会社にとってどれくらいのインパクトがあるか」を想定する。そういう視点で考えてみると、実は「問題だ、問題だ」と騒いでいても、解決後のインパクトがなく実は大した論点ではないとわかることも多い。

例えばスズキ自動車のようにすでに十分スリム化されている事業で、さらに調達コストや製造コストの削減を図ろうとしても、努力に相当する成果があがることは少なく、利益は大して増えないだろう。この場合、そこを掘るのは筋が悪いということになる。

反対に、かつての日産自動車のように部品や資材の購買方法に非効率な面がある企業なら、その部分を改善することによって、利益を上げられる余地がある。別のいい方をすれば、そこに手を入れればかなりの確率で利益が出て儲かるというのが、解決しがいのある問題だ。これは筋がよい。

あるいは、「社員のモチベーションが低いのが問題」と経営者が考えていたとしても、業界全体が不振で、それが業績、社員のモチベーションに影響しているケースもある。この場合は従業員のモチベーションを上げたところで、業界構造に問題があるのだから、会社の収益向上や成長が期待できるとはかぎらない。そうなると、モチベーションはあまり大事な論点ではなくなる。

このように筋の善し悪しは、ロジカルなアプローチからは答えが得られない場合が多いが、経験で学ぶことは可能である。

実際に解いてみたら答えがなかったという場合は、どこでそれに気づいたかを覚えておくといい。そうすれば、次に似たような状況に陥った場合に、「まずい。本当の論点は別にあるかもしれない」と考えることができる。

あるいは人から「それをやっても効果は知れているよ」といわれても納得できない場合は、自分で試してみるのもよいことだ。自分で検証した結果、やはりインパクトが小さいことがわかったとすれば、自分の肌身で学習することができる。また、次回からはその人のいうことをもっと聞くようにしよう、という学びもある。

▼「あれもこれも」では結局、なにもできない

言い換えると、経験を積むことによってダメな論点を早めに消していけるようになれば、かなり楽に正しい論点にたどり着けるようになる。

論点に向かい合うときは、どれを解くと問題が解決するか、減少するかという視点が必要だ。ゆえに論点の絞り込みは重要だ。間違った問題、解けない問題、優先順位が低い問題にはまっていると成果はあがらない。だから、こうした問題を論点として設定することは避けるべきだ。

コンサルタントは答えが出そうもない論点設定はしない。

ＢＣＧのシニアコンサルタントの中には「時間軸とパフォーマンスの二軸で考えて、短時間で一番効果の上がるものを論点にする」と明言する人もいる。

請け負っていろいろ調べたが答えはなかったでは仕事にならない。一般論でいうとずるそうに聞こえるかもしれないが、企業が答えの出ない問題に一生懸命取り組んでも経営資源のムダ遣いだ。やはり答えが出ることに経営資源は使うべきだ。そういうことが端的に現れているのがコンサルタントという仕事なのだが、それはすべてのビジネスパーソンに

もいえることだろう。

大学入学試験では、それぞれの学校に出題傾向があり、どの問題から解くか、どの問題を捨てるかがポイントなどといわれる。例えば、東大文系の数学は四問出題されるが、一問は高校で使われている教科書をしっかり学習していれば解けるレベル。もう一問は少しむずかしめのレベルであるが、途中までなら解くことができるので部分点は取れる。残りの二問は難易度が高く一般的に解くのがむずかしい。だから与えられた時間をどのように使うかは、おのずと決まってくる。むずかしい二問に取り組んで時間を失い、やさしい問題に手が回らないということになっては、論点を見失っているというほかない。なぜなら、大学入試の論点は「いかに東大に合格するか」であって、「いかに難問を解くか」ではないのである。

受験勉強全体の中でも、自分は数学をどのくらい勉強するのがいいか、国語をどのくらいやるか、英語をどのくらいやるかというのは、かぎられた受験までの工数の中で、自分の強み・弱みから判断すべきだ。数学は半分捨てようとか、英語で勝負しようとする。仕事もそれと同じだ。

どの論点を捨て、どの論点を選ぶか。どの論点を捨てたらいいかわかっているか。最悪なのはすべての論点をある程度までやるというやり方だ。個人でいえば、七割、八割やって、「ここまでできました」と上司に投げてしまうのが、よくない仕事のやり方だ。

ＢＣＧの先輩コンサルタントの島田隆さんから教えてもらった言葉に「戦略とは捨てることなり」という言葉がある。元は誰か米国のえらい人の言葉らしいが、ＢＣＧに入りたての頃に聞いて、戦略の要諦をとても簡潔に語った言葉として印象に残っている。ビジネスにとって大切なのは、やらないこと（事業・商品・仕事の仕方・取引先・研究など……）を決めることで、これが実はむずかしい。

救急医療の現場を考えてほしい。規模の大きな事故や災害において、救急医療の資源（医師、薬品、医療機材等）は絶対的に不足する。かぎられた資源をどのように配分するかという問題が発生する。より多くの人を救命するために、治療の優先順位を決めることを「トリアージ（Triage）」という。

ＪＲ福知山線脱線事故の際、この「トリアージ」が行なわれた。緊急処置で救命の可能性のある人には「赤タッグ」、早期に処置が必要な人には「黄タッグ」、救命不可能な人には「黒タッグ」がつけられた。この判断が一人当たりわずか三〇秒で行なわれたそうだ。通常では考えられない厳しい決断が瞬時に求められ、「黒タッグ」の人には治療が施されなかった。

救急医療の現場と経営とを一様に語るのはむずかしい。だが、資源が有限だという点では同じなのである。あれもやりたいこれもやりたいでは結局なにもできない。だから論点の絞り込みが必要になる。

▼経験が当たりの精度を高める

当たりをつけられる、筋の善し悪しを見極められるようになるには、論点思考の場数を踏むことが重要だ。そのとき漫然と場数を踏むのではなく、当たりをつける、筋の善し悪しを見極めるというアプローチを実際に試してみて、その経験を積むことが大事だ。

当たりをつけた後にフレームワークを使うと、うまく説明できたり関係づけたり整理できる。優秀なビジネスパーソンは、そういうふうに頭を使う。分析手法から論点が導きだされるのではなく、論点がある程度見え、構造化するときに、分析手法が使えるということだ。一般的には、分析手法を当てはめると構造化できると考えられていることが多いが、実はそれは間違いだ。

当たりの精度は、後述する引き出しの多さにもよる。ある程度経験を積むと引き出しが増え、引き出しが増えると当たりをつけるのがうまくなる。

第4章

全体像を確認し、論点を確定する

The BCG Way——The Art of Focusing on the Central Issue

1 プロービング（探針）を行なう

▼質問をぶつけて反応を見る

コンサルティングの現場で論点が設定される場合、いくつかのパターンがある。

まず、仕事の依頼主である顧客が、論点を明確にもっているケースで、なおかつそれを聞いたコンサルタントが「本当の論点はなにか」と考えて、筋の善し悪しを検討した上でも、やはりそれが論点だと判断したケースである。

例えば、「営業効率が悪いことを解決してほしい」という論点に同意できた場合、「どうしたら営業効率がよくなるか」を論点にすえて、営業担当者の質が問題なのか、量が問題なのか、あるいは営業プロセスが問題なのかと因数分解していく。
また、経営者の考える問題とコンサルタントが考える論点が異なる場合もある。
例えば経営者は、「営業効率が悪いのが自社の営業成績が上がらない理由」と考えているのに対し、コンサルタントは、「営業成績が上がらないのは製品に問題があるからで、いくら優秀な営業でもこれ以上どうしようもない」と感じる場合などである。このような場合には、最初にそのずれている部分をきちんと議論しておかないと、後から大変なことになる。

なにが本当の問題なのかというところまで、具体的に解明できていない状態でクライアントから相談されるケースも多い。そういう場合は、インタビューによって問題を探りだすことになる。

中には、経営者が自社の問題がなにかを理解していない状態で、「会社の経営状態を好転させてほしい」と依頼されるケースもある。たとえるならば、「なんかおいしいものを食わせろ」というリクエストをもらったようなものだ。

こういうとき、ロジカルに攻めるとしたらどうなるだろうか。「おいしいもの」の定義を分析するとか、相手の好きな食べ物を過去一カ月のメニューから分析し、一番食べた回数の多かった肉料理を出す、というようなものだろうか。

だが、そんなアプローチから出された答えに対して、「それが俺の食べたかったものだ」といってくれる人はいないだろう。

私なら、「寿司ですね?」と聞いて、「寿司ではない」といったら「天ぷらですね?」「天ぷらじゃない」「そばですね?」「そうだ、そばだ」といったら「そば」と、そういう決め方をする。

「おいしいものを食わせろ」というタイプの依頼をされた場合には、自分から相手に問いを投げて、相手が自社の状況や自身の考えを明確に把握するのを助け、論点を設定する。

コンサルティングの世界でプロービングという言葉がある。針で探りを入れるというのが本来の意味だが、こちらからなにか刺激を与えることで、相手の反応を引き出し、本質を探る手法だ。ここで紹介するのは、このプロービングの手法だ。

▼「論点の仮説」を立てる三つのアプローチ

論点を設定していく過程で、相手の考え方、問題とされる事柄の状況などに基づいて、これが論点ではないかという仮説を立てる方法には次の三つがある。いずれもプロービングを活用する。

①質問して相手の話を聞く
②仮説をぶつけて反応を見る
③現場を見る

論点を設定する際、最初によく行なわれるのは、相手の話を聞くことだ。

方法は大きく二つに分けられる。一つは質問して聞きだす、もう一つは自分の仮説の論点を相手にぶつけて反応を見る、という方法だ。いずれもインプットである。

どちらを重視するかはコンサルタントのタイプにもよる。私は自分の仮説をぶつけていって論点を絞り込んでいくのが得意だ。人間は他人の言動に対しては、なんらかの反応を示す。それは喜怒哀楽の表現かもしれないし、無意識にうなずいたり、賛同したり、反論したりするかもしれない。こうした反応を見ることで、仮説が正しいかがわかる。

一方で、相手の話をじっくり聞く中から論点を設定していくタイプも多い。論点思考においても、質問はとても重要な役割を果たす。

大切なのは、与えられた問題点（仮の論点）を鵜呑みにせず、「本当の論点はなにか」と考える態度だろう。

多くのビジネスパーソンは、与えられた論点について質問などせず、すぐに着手するだろう。上司に「なぜこれをやるのか」「目的はなにか」などと聞くことはあまりないかもしれない。もともと日本の組織では、なにかをやるときにその理由を開示する習慣があまりない。部下が上司に質問したら、「つべこべいうな」と一蹴《いっしゅう》されてしまいそうだ。あるいは非礼と受け取られるかもしれない。

だが、課題が指示された段階で、質問したり、仮説をぶつけたりするのは重要なことだ。実は上司も論点が明確でないまま、部下に仕事をふり分けているケースがある。だから質問や仮説をぶつけることによって、上司の論点を明確にしていく作業は重要なのである。

実際にこの過程で、起こり得るケースとして以下のパターンがある。

①論点が明確で納得できる（問題設定が正しいと思う）ケース
②論点は明確だが、それには納得できない（問題設定が正しいと思わない）ケース
③論点があやふやなケース

①、②とも主観的判断なので、正しいと思っても間違いであったり、反対に間違いと思っても正解であることもある。上司の出した論点を「それは問題ではない」と思っても、

それこそが論点というケースもある。

したがって、検証したり議論したりしながら論点を明らかにすることが肝要だ。手間はかかるがよい成果につながるだろう。

③では、あやふやな論点を言葉どおり受け取って行動に移しても成果はあがらない。質問したり、仮説をぶつけたりして、上司が解きたいと思っている問題を浮き彫りにしていく。

▼質問の繰り返しから筋のよい「論点の仮説」が生まれる

経営者にインタビューするときは、仮説思考を働かせながら、どこが論点の掘り筋としてよさそうかと考える。商品の販売不振について聞いているうちに、「東京はいいけれど、地方がねえ……」などの話が出てくることがある。もしかするとそこに論点が隠されているのではないかと感じる。「サンプリング（商品サンプルの配布）も大量にやっているのに売上げにつながらない」と聞けば、「サンプリングしているのに売上げが上がらないということは、やはり商品力の問題か」「リピート率に問題があるのか」と感じる。このように当たりをつけていく。理屈でいえば、全部やるのが本当だ。だがそうすると膨大な時間がかかるから、まず最初の一針をどこから刺すかということだ。

具体的な手法を紹介しよう。昔、『Twenty Question』という米国のラジオ番組があった。これをもとに、NHKも『二十の扉』というラジオ番組、テレビ番組を制作した。回答者が頭に思い浮かべたものを当てるために、質問者は「はい」か「いいえ」で答えられる質問をし、その答えをヒントに回答者が思い浮かべたものを当てる、というのがルールだ。

最近では携帯ゲームやウェブサイトでも同様の企画がある。あなたが一つのモノを思い浮かべる。ゲーム機やコンピュータが質問をし、最終的にあなたが思い浮かべたモノを当てる。

このように質問を繰り返して核心に迫るのが一つのやり方だ。

例えば、利益減少で悩んでいる経営者に、以下のような質問をしながら論点を絞り込んでいく。

Q1「売上げは上がっているのですか」

A1「いいえ。減っています」

Q2「総需要が減っているのですか」

Ａ２「いいえ。減っていません」
Ｑ３「それでは競合に負けているのですね」
Ａ３「そうです」
Ｑ４「なぜ競合に負けているのですか？　商品力ですか？　価格ですか？　チャネルですか？　プロモーションですか？　営業力ですか？」
Ａ４「商品力調査の結果は競合に負けていません。営業もがんばっています。プロモーションが弱いためです」
Ｑ５「どうしてそう思うのですか？」
Ａ５「広告に迫力がないからです」

経験や勘をもとにすると、この話はどうも広告の問題ではなさそうだなと感じるので、別の質問に変える。ここでは前章で紹介した転調が起きている。

Ｑ６「競合に比べて価格は高くないですか」
Ａ６「同じくらいです」
Ｑ７「販売チャネルはどうですか」

A７「うちは伝統的チャネルを重視していますが、競合はコンビニやディスカウントストアに力を入れています」

ここまで来ると、この会社では、チャネルのシフトが起きているのに対応し損ねて、売上減少を招いているのが不振の要因、すなわち真の論点ではないかという仮説が浮かび上がる。

もちろん商品力に問題があるという可能性も捨てきれないのであるが、初期の論点としてはチャネルの問題が筋がよさそうだということになる。

こちらから、これが論点ではないかという仮説をぶつける場合は、論点を決め打ちしてから相手にぶつけてみて反応を見る。反応を見ながら、さらに質問を重ねて修正し、真の論点にたどり着く。

一方で、聞いた話を一度持ち帰って自分なりに整理し、それをもう一度ぶつけるという方法もある。その場で対話をしながら論点を設定するのが得意なら前者の手法をとればいいし、じっくり考えるのが得意なら後者の手法を選択すればよい。これは上司から頼まれた仕事についての論点を明解にする場合もまったく同様に使える。

▼意外な質問の効用

ときに質問される側にすれば「意外」とも感じる質問があるに違いない。その種の質問をあなたは医者にかかったときに体験しているのではないか。医者というのは、ときどき意外な問診をするものだ。

例えば、「熱があるから、熱を下げる薬が欲しい」といったときに、「ゆうべ、なにを食べましたか」と聞く。「熱にどういう関係があるのか」と思うだろう。

それは医者が単なる風邪ではなく、食あたりを疑っているとか、素人が想像していないことを考えている。

あるベテランの編集者は、書籍企画の提案を受けたときに、「判型（本のサイズ）はどれ？」「タテ書き？　ヨコ書き？」「値段はいくらを想定している？」と尋ねるという。提案者は懸命に説明していた内容についてではなく、体裁についての質問なので、面喰らうことが多く、怪訝な顔をされるそうだが、編集者はこれを聞くと本のイメージが明確になるそうだ。専門書なのか、教科書なのか、一般書なのかがよくわかり、企画案の採否、改善点が見えてくる。

質問される側にすれば「意外」と感じる質問だが、質問者にとっては論点にたどり着くための質問にほかならない。

▼現場でプロービングする

現場は、自分の考えを検証するためのリトマス試験紙として使う場合と、気づきの場として使う場合がある。

論点を設定するために、コンサルタントが現場で話を聞く相手は、クライアントの社員、顧客、流通、競合、識者などが考えられる。

よくあるケースは、次の三つだ。

①支社・営業所、生産現場　営業や物流を担当している社員に話を聞く。
②取引先　特に流通はメーカー間の違いを一番わかっている。
③顧客　顧客視点で見る自信がないときに行く。

その企業・業界についてのある程度の知識がある場合は、クライアントである会社の社員に話を聞くことが多い。この場合、本社の人は経営者と同レベルでしか問題を把握していないことが多いので、支社や営業所のキーパーソンに話を聞いたほうがよい。よく知っている業界なら、社内インタビューをしないで、経営者と話しただけで論点を設定できるケースもある。

はじめての業界の場合は、まず取引先か顧客のどちらかに行く。知らない業界で流通構造などを知らないまま、「顧客ニーズはこうだ」「顧客とミスマッチだ」などと語っても、説得力がなかったり、信用してもらえないことが多い。

一般消費財の場合、自分が顧客であり、顧客・消費者目線をもてれば、流通だけで済ませることも多い。だが、自分が顧客になれない商品の場合は、顧客視点を知るためにも顧客の話を聞く。

例えば、トラック製造会社から相談を受けたら、直接顧客に話を聞く。ほとんどの消費財は自分も消費者だから、自分自身でも消費者の立場で検証できる。ところが、トラックの場合は、運送業者の社長やトラックドライバーのニーズや不満がわからない。だから、話を聞くと大きな発見があることが多い。

また、トラックのような高額商品の場合、顧客は明らかに多面的な角度から、購入の意思決定をしているはずだ。コンビニで一〇〇円のチョコレートを買うのと、新車で一〇〇

○万円を超える大型トラックを買うのとでは明らかに意思決定の方法が違う。だから、購入者の話は聞いておきたい。

拾いだされた論点候補は、その問題を解きたい人から見て新しい発見が含まれていると論点が進化することもあるので、そういう意味で、クライアントの顧客に直接聞いた発見を伝えることも大切だ。

▼話を聞く以外にも、現場感覚を得る

現場でなにをすべきか。

多くの人は、現場の人の話を聞いて、論点のヒントをつかむ。これも一つの方法として大事である。しかし、私の場合、現場では表向き人の話を聞いているのだが、実際には、現象を見ている。例えば、なにをやっているのか、人が生き生きとしているか、競争相手と比べてどうか、商品は飛ぶように売れているか、などである。つまり、一次情報をつかまえるのである。世の中にはあまたの情報が飛び交っているが、そのほとんどが二次情報だ。だから一次情報にこだわり、その上で「どうやら、こういうことではないか」と仮説を相手にぶつける。その場で検証しながら論点を拾いだしていく。

現場に出るメリットは肌感覚が得られることだ。論点を設定するときには、いかに少ない工数で、正しい意思決定をするかに尽きる。プロジェクトのメンバーが無限の証明地獄（ありとあらゆる論点候補を片っぱしから調べていくこと）に陥るのを避けるには、現場感覚がものをいう。現場感覚がないままに聞いた話やメンバーが集めた資料や情報だけで白黒つけようとしていると判断を間違うときがある。

2 依頼主の真意を探る

▼発言の真意、意図、バックグラウンドを考える

前述したプロービングと同時並行的に行なう作業がある。頭を二つに分けて、

①相手の発言の真意、意図、バックグラウンドを考える
②引き出しを参照する

この二つのことを行なう。

まず、論点を設定する際によく考慮すべきなのが、あなたに問題解決を頼んだ人の思いだ。発言の真意、意図、バックグラウンドを考えることが重要になる。

例えばコンサルタントであれば、クライアントはなにを解決したいのか、一般のビジネスパーソンであれば、上司はこの問題をどうしたいのか、なにを悩んでいるのか、なぜこんなことを自分に依頼するのか……などをきちんと理解することが大事だ。

これは実は特別なことではない。私生活では普通に行なっていることだ。

例えば、さして親しくない人から、引越しの挨拶状をもらって、文面に「お近くにおいでの際は、ぜひお立寄りください」と書いてあったときに、それを真に受けて実際にフラッと訪問する人は少ないはずだ。

当然、これは社交辞令だと思ったり、仮に訪問するにしても事前にきちんと連絡してから行くべきだと考える。あるいは突然訪問したら、相手がどんなふうに思うかをあらかじめ考えた上で行動するはずだ。

これは生活をする上での知恵でもあり、常識でもある。

ところがビジネスの場面では、相手の言葉をそのまま受け取って行動したために失敗したり、率直な受け答えをして反感を買うことがある。

例えば、コンサルティングの際、クライアント企業の社長から「思う存分調べて、私に悪いところがあればどんどん指摘してください」といわれたからといって、その言葉を鵜呑みにして、ずけずけ指摘すると逆鱗に触れる。若手コンサルタントの中には、素直に経営者の悪い点を次から次へと並べ立ててしまい、相手を怒らせる人もいるが、それは社長の論点をしっかり押さえていないからだ。

駆け出しコンサルタント時代にこんな経験をした。

ある会社から成長戦略の立案を依頼された。我々は自分たちの提案に自信があった。最終プレゼンすると先方の社長は、「なるほど、よくわかりました」といってくれた。そしてプレゼン終了後に、飲み屋で慰労会をやってくれた。

ところが、その席で社長はこういった。

「今日は本当にいい提案をしてくれてありがとう。でも、私の目が黒いうちは、この戦略はやりません」

これには本当に驚いた。提案の内容は、「今後の成長は単独ではなし得ない。提携あるいは合併するしかない」というものだった。あらゆる分析データを見るかぎり、この提案は正しかった。

しかし我々は、明らかに社長の論点を取り違えていた。その社長なら、戦略的提案をロジカルに受け入れて、実行してもらえると考えたのだが、その人はそんな気はさらさらなかった。理屈は正しい。計算をミスしたとか、分析をミスしたとかいう話ではない。それは彼が解きたい問題ではなかったということだ。

クライアントが、本当のニーズを隠し持っていることもある。

例えば、オーナー経営者が、「向こう二〇~三〇年にわたって盤石な経営ができる組織づくりをしたい」といったときには、要は、息子に事業承継したいが、手伝ってくれるかという意味だったりする。「次期社長は優秀な人材を抜擢《ばってき》するのではなく、息子に継がせる」ということは表立っていいたくない。だから、えてしてこうした言い方をする。それを読み違えて、経営基盤は強くなるが、息子が能力不足を露呈させて放り出されるような解決策を提案すると満足してもらえない。

▼直観によって言葉の裏を見抜く

例えば「部内を活性化する」という同じ目的をもつ二人の部長がいたとしよう。一人の部長は、自分の出世など関係なく、純粋に会社をよくしようという気持ちから部署の活性化を望んでいる。その場合の論点は「組織の活性化」であり、目的と同じである。もう一人の部長は出世して役員になりたいという動機から、部内を活性化して成績アップを図りたいと考えている。この場合の論点は自分の部署の成績を上げることであり、さらにいってしまえば自分の出世が論点だ。たとえ、自分がこの部長の部下だったとしてもこんな部長のために働く気はもちにくいが、それを理解することが大事であるという点を理解してほしい。

このように二人の部長から同じ指示が出たとしても、裏側に込められた意味はまったく違う。論点を設定する際にはそこまで考えるべきだ。人によって論点が違うのは、単に仕事の目的・ゴールが異なるだけでなく、その人が置かれている状況（環境）や考え方、感じ方の違いからくることも多い。

また、経営者が我が身を犠牲にしても会社を立て直したいと思っている場合、腹のくくり方が違う。一方で、ポーズだけのこともある。経営者の思いや覚悟のほどによって、どこまで荒療治ができるか、提案内容も違ってくるのだ。「社員の恨みをかってまでコストダウンなどやりたくない」と思う経営者もいれば、自分の成功のためには気にしないという人もいる。成功していて失うものが多い人ほど、むずかしいという場面もある。敗者復活戦に臨む人ならなんでもできてしまう。

仕事でも私生活と同じように、相手の発言の真意、意図、バックグラウンドを考えるべきだ。一ついえることは、仕事でもプライベート同様に直観を大切にしたほうがいいということだ。仕事は論理的に考えなくてはならないと思い込んでいるビジネスパーソンは多い。だが、直観を重視し、後からそれを論理的に説明するように考えたり、あるいはどうやったら検証できるかを考えるということがあっていい。

▼相手の靴に自分の足を入れる

BCGのシニアコンサルタント一〇名にインタビューし、どのように論点を設定しているかを調べてみたところ、ほとんどのコンサルタントが論点を導きだすために、クライアントとの対話を重要視していた。そのとき同時に、相手の思いや、発言の真意、意図に思いをめぐらせる。あるコンサルタントは、「論点は無数にあるが、結局は相手次第。クライアントがなにを望んでいて、なにを望んでいないのかを考えて論点を設定していく」と述べている。

つまり基本的な心構えは、相手の思考パターンで考えるということだ。

BCGには、"Put yourself in his shoes."（相手の靴に自分の足を入れる）という言葉がある。これは相手の視点に立って考えるという意味だ。

論点というのは相手の論点である。自分の論点ではない。どうしたら相手が納得してくれるかが重要なのだ。あるＢＣＧのシニアコンサルタントは、「自分がこの会社の社長だったらどうするかと一人称で考える」という。第三者的視点を捨て、相手の立場で考えることで納得してもらえる論点が打ちだせる。

ビジネスパーソンにとって重要なのは、トップや上司がどんな問題を解きたいと思っているかだ。基本的に会社員なら、トップであろうと平社員であろうと、自分の出世、名声、実績などをつねに考えるものだ。「うちの会社はどうしようもない」「上司の考えは理解できない」などと評論家になるのではなく、自分が上司の立場であればなにを考え、なにをするかと考えてみるとよい。

人間というものは、問題を目の前にすると、自分にとって重要かどうか、あるいは自分がやりたいか、やりたくないかと考える。さらには、自分で解けそうか解けないかと考えてしまう。

でも、そうではなく相手の立場で考えることが必要だ。

▼相手を「わくわく、どきどき」させる提案

もう一つつけ加えるなら、私自身がコンサルタントとして顧客に問題解決の提案をする

とき（プロポーザルを書くとき）に一番大事にしているのは、論点とアプローチが、いかに相手を「わくわく、どきどき」させるかということだ。

問題解決において「わくわく、どきどき」などというと不謹慎だとお叱りを受けるかもしれないが、これはクライアントにとって魅力的な提案であるという意味だと理解してもらいたい。

例えば顧客が、「この程度の提案なら社内でできる」「他のコンサルティング会社の提案も同じだ」と思ったら、おそらく採用してもらえないだろう。そういうレベルを超え、「なんだかおもしろい。この提案にかけてみよう」とか「こんなノリでやってくれるのだったら、もしかすると解決策が出てくるかもしれない」と思ってもらえることが大切である。

そして問題が深刻であればあるほど、こちらは冷静でなくてはならない。重病の患者が、自分と同じくらい深刻に思い詰めている医師に、自分の人生を託すであろうか。

「わくわく、どきどき」が必要なのは、問題解決策を実行するのが人間だからだ。機械が解決するわけではないので、人間が「これをやってみよう」「トライしてみよう」「ちょっと大変かもしれないけれどもがんばろう」と思わないと、モチベーションがわかない。それらがわくような解決策が、実行されやすく、成功につながりやすい、共感を呼びやすい、というのが私の持論だ。

ただし、いくら「わくわく、どきどき」しても、大論点が違っていては元も子もない。「わくわく、どきどき」の基本になるのは、正しい論点の設定であり、それに対するユニークな打ち手なのである。それがあってはじめて、顧客は「なるほど、問題をそういうふうにとらえると解けそうな気がする！」とか、「こんな方法があったのか！」と気持ちが動くのである。

3 引き出しを参照する

▼相手の話の聞こえ方が変わる

頭を二つに分ける感覚で、同時並行的に行なうもう一つの作業が、自分の引き出しを参照することだ。引き出しは、もともとは自分を相手に印象づけたり、説得するために、「会話の中で使う話題」をしまっておく、頭の中の仮想データベースである。私は頭の中に二〇の引き出しをもっている。その二〇の引き出しの中にさらに二〇ずつのネタが入っている。それぞれのネタには思い出しやすいようにユニークな見出しが貼られている。

例えば、二〇の引き出しのタイトルとしては「リーダーシップ」「パラダイムシフト」

「ビジネスモデル」などがある。いわば、自分の関心をもっているテーマである。その中にさらに、二〇ほどの事例がフォルダに入っている。これがネタである。例えば、「リーダーシップ」の引き出しには「キャプテンの唇」とか、「オフト監督の牛」といった興味を引きそうな見出しをつけておく。「パラダイムシフト」にも同様に「海底のバドワイザー」とか「峠の豚」といった見出しのネタが入っている。

頭を二つに分けるとは、一方で相手の話を聞きながら、もう一方で自分の頭の中にある、過去の経験、類似事例、似た感覚などを探すことだ。その際、私は過去の蓄積を思い出しやすくするために二〇の引き出しという方法を使っている。

同じ業界内、あるいは他の業界で、同じテーマの問題を解決した経験、同じテーマでチャレンジしている前例や、ビジネスとはまったく違う世界の話からヒントが得られる場合もある。

したがって、ビジネスパーソンはいろいろな経験を自分の引き出しに蓄積することが大切になる。自分の引き出しを参照しながら相手の話を聞くと、聞こえ方が変わってくる。

もちろん、引き出しのもち方や引き出し方は各人各様のやり方があってよい。要は自分が使いやすいように日頃から意識して整備しておくことが大事だ。ただし、頭の中でだ。

引き出しの活用の仕方をいくつかあげておく。

①アナロジー（類似事例）、他社事例

業界内、他業界で、同じテーマを解決した経験、同じテーマでチャレンジしている前例に学ぶ。また、ビジネスとはまったく違う世界の話からヒントが得られる場合もある。

例えば通信業界は技術革新の結果、大きな変貌を遂げたが、それ以前にも規制緩和のために、ＮＣＣと呼ばれる新興電話会社（当時のＤＤＩ、日本テレコム）が誕生して、ＮＴＴのビジネスは大きな影響を受けた。当時のＮＴＴは、その歴史が始まって以来の革命が起きたと大騒ぎをしていたが、実はまったく同じ話が過去には航空業界で起きていた。しかし、業界が違うために知らなかっただけだ。

具体的には、航空業界でも通信業界と同じような規制緩和が行なわれ、それによって同一路線に複数の航空会社が参入したり、海外の低コスト航空会社が日本と米国を結ぶ高価格のドル箱路線に参入し顧客を奪っていった。となれば、航空業界で規制緩和の結果、どんなことが起きたかを学ぶことで、通信業界で規制緩和の結果、なにが起きるかを予測することができる。例えば複数企業が需要の多い路線に参入すると、価格はどうなるのかといったことについて学べるわけである。当然、既存企業としてどんな打ち手を打つべきかまで参考にすることができるはずだ。

②顧客視点で見る

自分の庶民感覚、一個人としての感覚で論点を設定する。例えば自分がモノを売ることを考える前に、ユーザーはどんな人であり、どこで、なぜ、自社の商品を購入しているのかということについて、ユーザーに「なりきって」考えてみる。そのためには机に向かっての知的作業ではなく、実際に現場に行って、具体的な事実を経験し観察するという行動が必要になる。

例えば医療用の医薬品を購入して、現場で使っている看護師さんたちが、似ている形状の薬を患者さんたちに間違えて投与しないように、わざわざ包装紙にマジックで患者さんの名前を書いていることを知ったりする。それによって、医療現場では薬の効用も大事だが、医療過誤の問題やその予防対策が急務の論点であることを知るわけである。

そもそも顧客視点がもてるかもてないかは「引き出し」と関係がある。というのは、すべての顧客になりきれるわけではないからだ。

私の場合なら、男性の視点、学者の視点、コンサルタントの視点はもっているが、女子高生の視点、主婦の視点はもちえない。だが、女子高生向け、あるいは主婦向けのプロジェクトを数多く経験し、引き出しに保存されている過去のケースを検索し、自分にない顧客視点をもつようにもなっている。

③鳥の眼・虫の眼で考える

経営者や本社にいるスタッフは、大所高所からの視点（空高く飛ぶ鳥の眼）でビジネスを見ることが多く、えてして現場の眼（地面をはっている虫の眼）を忘れがちである。現場の人間がどのような思いで働いているのか、顧客接点でなにが起きているのかを忘れて大きな絵ばかりを描いてはいけない。

以前、メーカーの営業改革のプロジェクトを実施したときに、最初にプロジェクトの主旨説明に現場（支店）を訪れたことがあった。そのときに支店の人たちが我々をにらむように見ているのに気づいて、これは論点設定が間違っているなと感じたことがあった。一言でいえば、本来現場を助けるはずの営業改革が現場の負担を増やすだけの施策になっていたのである。ただちに現場視点のプロジェクトに仕立て直したのはいうまでもない。

一方で、現場の人間は日々の業務や目先のトラブル（虫の眼）に追われがちで、ついつい全社の視点や市場全体の視点（鳥の眼）でものを見ることを忘れがちである。たまには一歩下がって自分の業務を見直すことが必要だ。

話を聞くときにも、相手が経営者や本社の人であれば「これは鳥の眼で見た発言ではないか」、現場の人であれば「これは虫の眼で見た発言ではないか」と考慮することが必要だ。

④ 過去の経験を参照する

個人に蓄積された経験である。第1章で日本IT企業D社からの「グローバル勝ち組企業の中でよい提携先はどこか」という論点を、筋が悪いと感じたのも経験からのものだった。

別の例をあげると、私は過去の経験から「会社は弱いところに症状が出るが、真の原因は別のところにあることが多い」と考えている。胃腸の弱い人間が胃が痛いからといって、すぐに胃腸の病気と決めつけるのは危険だ。というのも、身体のどこかに病気を抱えると、胃腸に症状が出やすいからだ。精神的ストレスで胃が痛くなるなどはその好例だ。会社の場合も同様で、販売部門が弱いと販売に症状が出るが、実は、別の部門に論点があるということが多い。

ある企業で、技術部門がいくらよい製品を出しても営業が弱いので売上げがあがらない。ぜひ営業部門にメスを入れてくれと依頼を受けたことがあった。しかし、よくよく調べてみると、もともと技術部門が力をもっているために製品開発が野放しで、消費者ニーズもろくに調べずに、好き勝手に次々といろいろな商品をつくりだしているのが真の原因だということがあった。

▼事例　オリンピックの金メダルを増やす方法

実際に、引き出しを参照しながら考えてみよう。第2章で触れた「オリンピックで日本が獲得する金メダル数を増やすにはどうしたらいいのか」という論点を例にして、どう引き出しを参照するかを見ていこう。

①アナロジー（類似事例）、他社事例で考えた場合

例えば、金メダルの獲得をレコード会社におけるCDミリオンセラーになぞらえて考えてみる。ミリオンセラーはねらって出せるものではない。仕掛けと努力は必要だが、結果は偶然だ。多くのCDを発売し、そのうちの一つがたまたまミリオンセラーとなるというのが実情だろう。

だから一人の選手を大切に育てて金メダルをねらうよりも、メダル獲得レベル、入賞レベルの選手をたくさん育てることを考える。そのクラスの選手がいまの一〇倍いれば、他国の大本命の選手が不調であったり、なんらかのアクシデントが起きたことと、日本の選手が本番で実力以上の力を発揮したことが重なって、金メダル獲得数が増えることになる

かもしれない。

あるいは他社事例ということで、最近、金メダル獲得数が伸びた英国はどうやったのかと調べてみる。同じやり方が日本に適用可能か調べてみるという方法もある。

②顧客視点で見た場合

母集団、すなわち対象者の視点で考える。オリンピックに出場して金メダルを取りたいと思う人のインセンティブはなにか、どのようなメンタリティなのかと考える。

例えば、北島康介のような金メダリストになることと、SMAPのようなトップアイドルになることが同じような価値をもつとしたら、金メダルを獲得したらトップアイドルと同様の待遇が得られるプログラムをつくることなどが考えられる。しかし、アスリートとトップアイドルをめざす人が違うメンタリティだとしたら、やはり違うプログラムになる。

③鳥の眼・虫の眼で考えた場合

個別競技で金メダルを増やすにはどうしたらいいかと考えるのが虫の眼、国全体として金メダルを増やすにはどうしたらいいかと考えるのが鳥の眼。この二つでは当然解決策が違ってくる。

個別競技で増やすなら、水泳、柔道など日本が得意としている分野で、それぞれどのような強化方法があるかという視点が虫の眼だ。

一方で、鳥の眼で考えると、例えば、オリンピック種目全体を見渡す。参加人数が少ない、注目度が低い、力を入れている国が少ないなどの視点でメダルを取りやすい種目を探しだし、その種目を重点的に強化する。そのほうがすでに激戦区である陸上や水泳を強化するより簡単だろう。

4 論点を構造化する

▼拾いだした論点を整理する

論点が少しずつ浮かび上がってきたらなにをするか。整理や構造化というと、読者の中には、いよいよロジカル・シンキング（論理的に物事を考えること）の出番だと思う人がいるかもしれない。例えば論点を大論点から中論点、小論点と順番にツリー上に整理するイシュー・ツリー、あるいはすべての論点を抜け漏れがなくかつダブりがないように整理するＭＥＣＥ（Mutually Exclusive Collectively Exhaustive）、議論をＡだからＢ、ＢだからＣ、ＣだからＤと順番に追っていくロジックフローなどである。

だが、私はこうした手法はほとんど使わない。念のためにＢＣＧのシニアコンサルタントたちにインタビューしたところ、やはりそれらの手法を使っている人はいなかった。論点が明確になってからそれを検証したり、抜け漏れを防止するためにそれらを使うコンサルタントはいるが、それらのフレームワークに沿って作業していくことはない。この辺りが本に書かれていることと実際に行なわれていることの大きな違いだ。

しかし、彼らコンサルタントも紙に書いて論点を整理し、構造化する方法をとっている。まずキーワードを書き並べ、論点として成立しているかを考える。それらが世に知られたイシュー・ツリーやＭＥＣＥでないだけだ。

いってしまえば、それぞれが独自の方法でやっている。大切なのは、自分の型を見つけることだ。書く場合もあれば、議論する場合もある。

私の場合は、直観から来る論点を相手（顧客や同僚）にぶつけて、それを核心にもっていくやり方なので、紙を使うことは少ないが、それでも行き詰まったときにはＰＣのエディタ（原始的なワープロ）を使って論点を整理してみる。そのほかにどんなやり方があるかを紹介しよう。

あるコンサルタントは、ノートに論点候補を思いつくままに箇条書き（ロングリスト）にする。そこからグルーピングを行ない、論点候補を絞り込んでいく（ショートリスト

図表4-1　ロングリストからショートリストへ

・市場シェアは漸減傾向にあり、収益低下
・生産コストが高い
・商品力が劣るために売上げがあがらない
・商品が顧客ニーズとミスマッチ
・一商品当たり売上げが少ない
・競争相手は顧客ニーズにマッチした商品開発を行なっている
・価格は高いが、商品の品質には定評がある
・既存顧客のロイヤルティは高いが、新しい顧客が増えていない
・新商品開発は小ヒットが多い上に、売れ行きが長続きしない

○生産コストの問題ではなく、主力商品の売上げ不振が利益減少の最大の要因
○評判のよい既存商品の上にあぐらをかいている
○若い顧客層は競合企業の巧みな商品開発によってシェアを奪われている

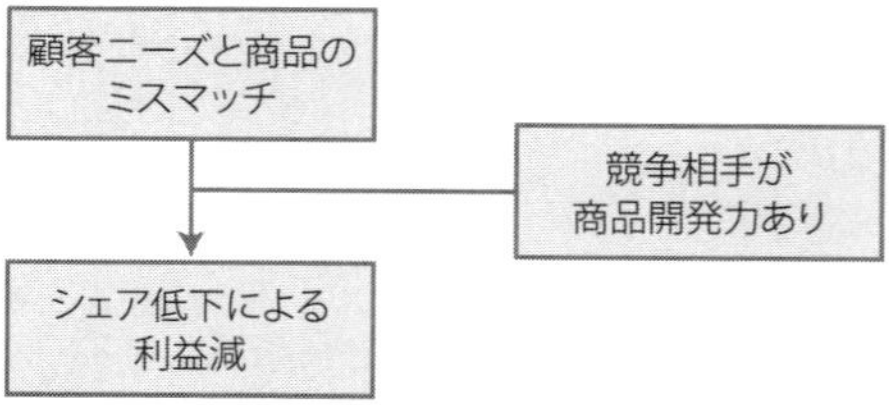

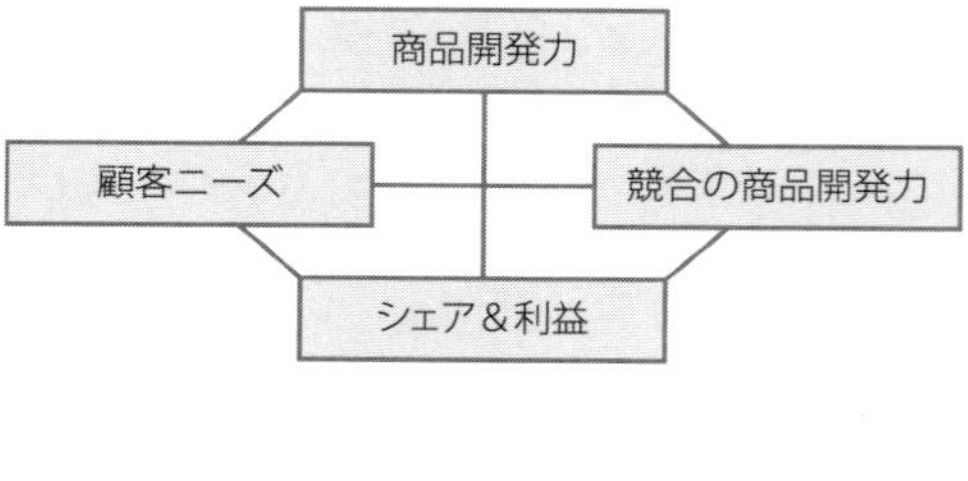

図表4-2　論点のひもづけ

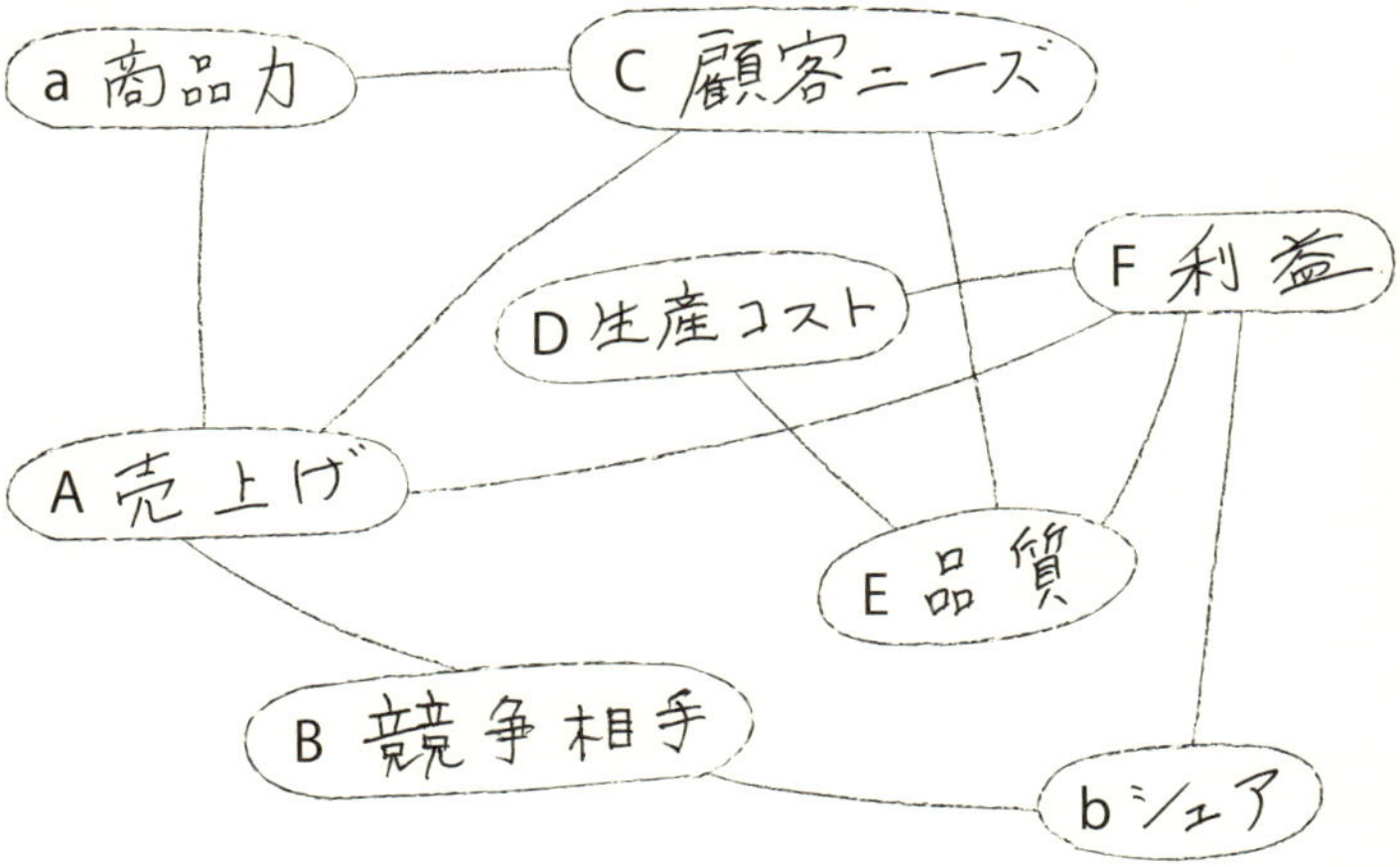

化）という単純な方法を使う（図表4－1）。

別のコンサルタントは、論点と思われるものを平面にちりばめて書いていく。そして、その中から相互に関連するものを線で結んでいく。そうすることで論点の関連性や因果関係、あるいは事の大小が明らかになる。考えた問題に大中小をつけたり、順番や関係を考える。問題Aと問題Bはつながっている、問題Aと問題aは上下の関係にある。EとFで、Eを選ぶとFが成り立たないとか、見落としがないかなどである（図表4－2）。

▼上位概念の論点を考える

構造化の際、ある論点を起点に上位概念の論点を考えることで、横にある論点を浮かび上がらせる手法もある（図表4－3）。論点aの上位論点Aを考えることによって、論点aと同じ階層にある論点b、論点cが見えてくる。

例えば、上司から新規顧客開拓を考えるよう命令されたとする。そのとき普通は、新規顧客開拓を構成する下位の論点x、y、zを考えてしまう。ところができるビジネスパーソンは、そのとき、なぜ新規顧客開拓を行なう必要があるのかという上位概念の論点を考える。

もし上司が売上げアップのために新規顧客開拓を考えていたとすれば、bやcには新製品開発や既存顧客の深掘りといった論点が並ぶはずだ。それらの横に並ぶ論点と比較検討した上で、新規顧客開拓策を提言したほうが上司の満足度は高いはずだ。

一方で、上司のねらいが売上げアップではなく、業績不振から来る利益減少を補うための手段として新規顧客開拓を考えているとしたら、（論点a）新規顧客開拓に並ぶ論点は、（論点b）コスト削減、（論点c）販売促進・広告宣伝費の効率化、（論点d）顧客ロイヤ

図表4-3　上位の論点を考える

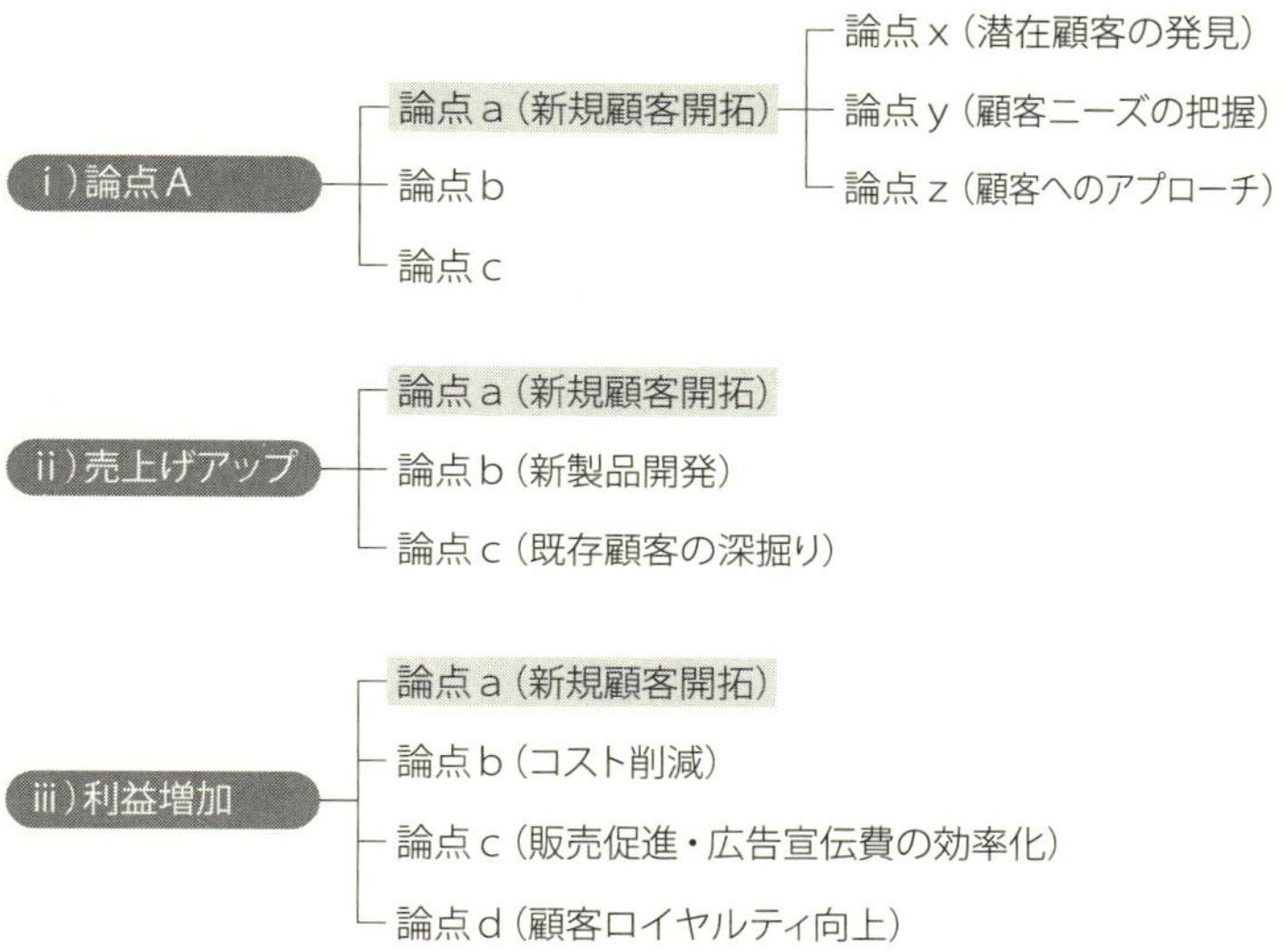

ルティの向上などになるはずだ。

要するに、与えられた論点aとその下位の論点x、y、zに目を向けるのではなく、より上位の論点Aを考えることで、実は論点aの解き方も変わってくるということを覚えておいてほしい。

ノートにまとまったら、それを見ながら頭の中でシミュレーションする。自分の仮説としてもっている論点を相手に投げるとどういう反応があるか、実際にアクションを起こすと状況はどう変わるかなど、実際に顧客とのやりとりを事前に自分の頭の中でシミュレーションしていくというコンサルタントもいた。

自分の中でそれを突っ込む「ツッコミ役」と答える側に回るいわば「ボケ役」を設定し、一人でシミュレーションするというわけだ。彼はこれを「一人ツッコミ」と表現していたが、なかなか賢い方法だ。

▼構造化にも当たりつけは必要

構造化を行なう上でも前述した「当たりをつける」は重要だ。例えば、あらたに「○○事業を始めるべきかどうか」という大論点がある場合、ロジカルに論点を整理すると、次のようになる（図表4－4）。

まず、「市場ポテンシャルは大きいか」「競合優位性は築けるか」「投資に見合うリターンが得られるか」「投資に必要十分な資源が投入できるか」という中論点を検討する必要がある。

さらにこれらの整合性を保ちながら、それぞれの論点がどういう要素で構成されるかを考える。例えば、市場ポテンシャルは、さらに「市場はどうセグメンテーションでき、どこがどのくらいのサイズか」と「どこが自社としてねらって意味のあるサイズの市場か」

図表4-4　イシュー・ツリーによる論点構造化の具体例

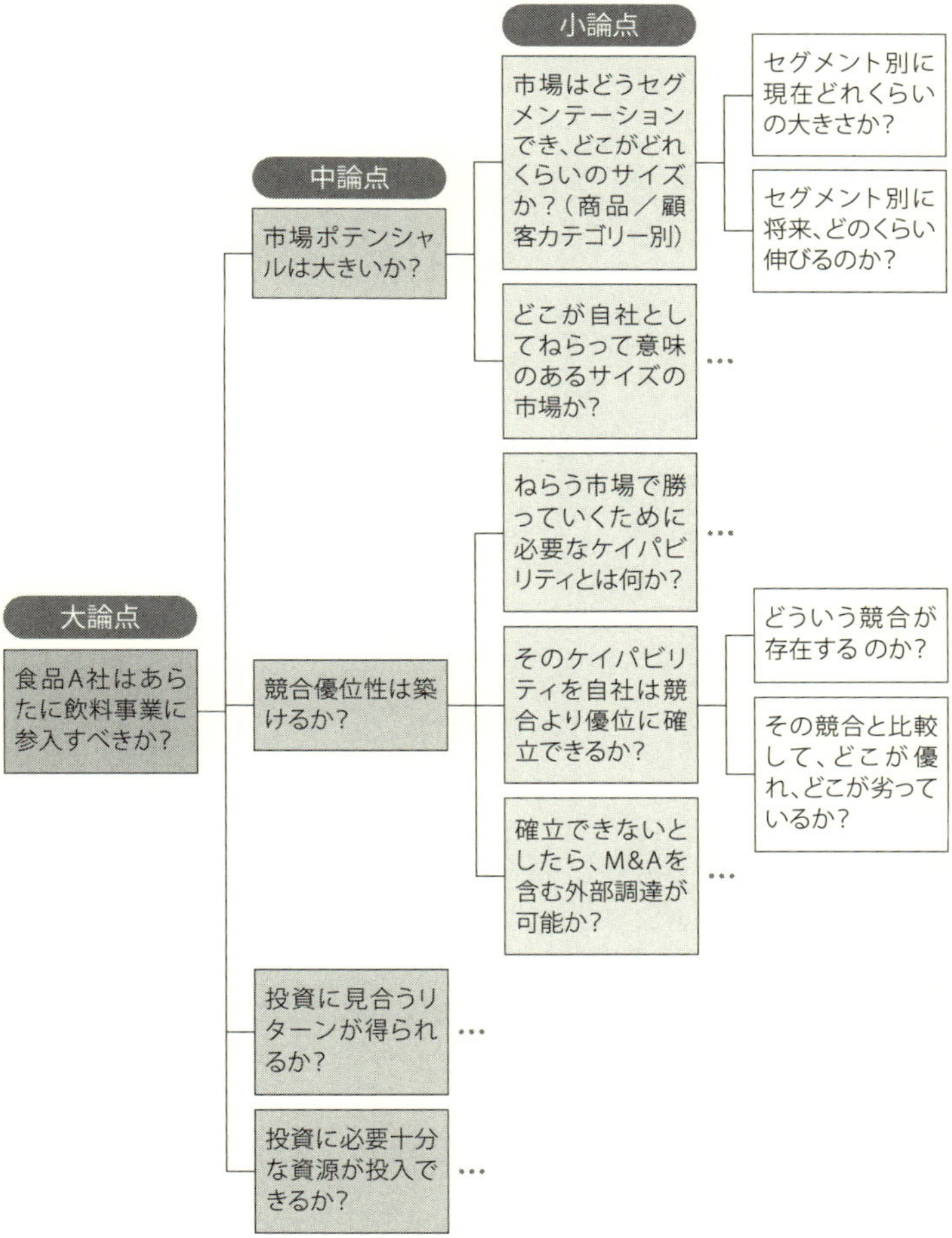
大論点
食品A社はあらたに飲料事業に参入すべきか?

中論点
市場ポテンシャルは大きいか?

競合優位性は築けるか?

投資に見合うリターンが得られるか? …

投資に必要十分な資源が投入できるか? …

小論点
市場はどうセグメンテーションでき、どこがどれくらいのサイズか?（商品／顧客カテゴリー別）

どこが自社としてねらって意味のあるサイズの市場か? …

ねらう市場で勝っていくために必要なケイパビリティとは何か? …

そのケイパビリティを自社は競合より優位に確立できるか?

確立できないとしたら、M&Aを含む外部調達が可能か? …

セグメント別に現在どれくらいの大きさか?

セグメント別に将来、どのくらい伸びるのか?

どういう競合が存在するのか?

その競合と比較して、どこが優れ、どこが劣っているか?

出所：杉田浩章「BCG流 問題解決のための仕事設計法」『Think! 2002 SPR. [No.1]』

という二つの小論点に因数分解できたとする。

こうして順次ツリー状に、より下位の論点へと落としていく。

だが、このやり方で進めていくと、論点はどんどん細分化される。その結果、どれが重要な論点なのかが曖昧になってしまったり、すべての論点に答えを出そうとして袋小路に入り込んだりしてしまう。多くの問題に資源が分散されてしまい、結局問題を解決できないというケースも多い。

このようなやり方ではなく、これこそが取り組むべき問題ではないか、この問題を解決できるなら、ほかは犠牲にしてもよいのではないかという優先度の高い論点をえぐりだすのが、「当たりをつける」という考え方だ。

例えばこの事業を成功させるに当たっては、「競合優位性」が問題ではないかと、仮説思考を使って決め打ちする。

決め打ちしたところで、より深く論点を探っていくと、例えば同じ競合優位性といっても、技術的に優れているかどうかよりは、ユーザーにとっての使い勝手がよいかどうかが重要な論点であることが判明したり、あるいは単に価格が安いかどうかの経済性が唯一最大の論点である、ということがわかってくる。

また、他社が画期的な製品を開発したため、あるいは強力な新規参入業者が現れたため、というように、自社外の要因によって、いままで築いていた競合優位性が失われたことが論点として浮かび上がってくることもある。こうして焦点を絞った上で、論点を深掘りしていくのである。

このときイシュー・ツリーを、自分が決め打ちした論点で問題ないかどうかのチェックシートとして使うコンサルタントはいる。例えば、「市場リスク」「競合リスク」も踏まえて、「収益性」に当たりをつけるのと、他の要素には気づかずにそれと決めてしまうのでは、間違えてしまう危険度が大きく違ってくる。

▼効果を考えて中小論点から実行する場合もある

大論点、中論点、小論点と整理した時点で、最終的には大論点を解決するのであるが、方法として、大論点からではなく、中論点から手をつけたほうが、効果が上がりそうだと判断することがある。

病気の患者を治療する場合でも、本当に悪い部位にすぐに着手できないから、別の部位から治療を開始することがある。例えばお腹が痛くて食事が取れないという症状の患者がいるとしよう。精密検査の結果、肝臓に問題があることはわかっているが、その手術は大変なので、まずは食事が取れるようにお腹の痛みを取り除く治療をする。その間に、手術に耐えられる体力をつけるなどと判断することがある。

ビジネスでも同じことがいえる。例えば、ある会社の業績が悪く、営業、生産、開発どれにも問題がありそうだが、調べてみると一番の問題すなわち大論点は生産にあることがわかったとしよう。

そういうときに、大論点から着手するとはかぎらない。一番の問題が生産にあることはわかっているが、それを改善すると会社の体力を消耗し、改善途中で倒産してしまう可能性がある。だから、すぐに効果の出そうな営業から手をつけ、キャッシュフローを改善してから、大鉈《おおなた》を振るうことは結構ある。

廃校寸前の女子校を見事再生した品川女子学院校長の漆紫穂子《うるししほこ》さんに話を聞いたことがある。学校を改革するには校舎や設備などのハードを変えたほうが効果があるとわかっていても、それにはお金もかかれば時間もかかる。そこで彼女はまずすぐできるソフト面から改革を始めたそうである。例えば授業のやり方を変えて生徒のやる気を引き出したり、父母の協力を仰いで先生にやる気のスイッチを入れたりしたそうだ。こうした面から次々と改革に手をつけて見事学校の再生を果たした。もちろんいまでは立派な校舎になっている。

あるいは、自動車メーカーが製品の品質トラブルを起こし、消費者の信用を失ったとしよう。この場合、品質トラブルのあった製品をリコールして市場から回収したとしても、必ずしも根本的な問題を解決することにはならない。本来であればこれから発表する製品について品質トラブルを起こさないというのが根本的問題解決なのであるが、たとえ品質の優れた新商品を出しても、その品質が本当に優れたものかどうかは何年か経たないと評価してもらえない。信用回復は一朝一夕にできるものではないからだ。

一方で、問題の製品をただちに回収するという行動は自動車メーカーが変身した、新しい取り組みを始めたという消費者へのメッセージにはなる。そこにメリットがある。

このように、必ずしも大論点ではない問題を解決することで、大論点にどんな影響があるのかを考えることも重要だ。

▼虫食いのツリーをつくる

先に述べたようにイシュー・ツリーをきちんと書き上げてから論点を設定することはない。しかしながら、論点を設定するためにイシュー・ツリーを利用することはたまにある。

論点を構造化するとは、理論的には、大論点に答えるために、「掘るべき筋と単位」を中論点、小論点として因数分解し、ツリー構造に整理していくことだ。言い換えると、仮説を立てて、検証・反証していく筋道であり、横方向の因数分解と縦方向の上下関係の構造で全体像が定義される。そして、完成したツリーをモジュールに分けて解いていく。

実務では、なかなかきれいなツリーが描けることはない。論点を設定するのが単純な場合には、大論点から放射状に中論点、小論点と広がっていく。こういうきれいなケースはまれだ。だから、きれいに構造化することに、それほどこだわる必要はない。

多くのケースでは、いくつかの論点らしきものが、大論点なのか、中論点なのか、小論点なのか、大きさもわからないまま、バラバラと浮かび上がってくる。

そのときどうやらAが大論点かもしれない。でも、どう考えてもBとリンクしないということは、よくある。もしかすると、関連づけるCがあるかもしれないが、それがわからないというような状態だ。こういうときは、なにかあるかもしれないということを、そのままブランクにしておいてよい（図表4－5）。

いってみれば「虫食いのツリー」でよい。見えている論点がいくつかあって、それらが糸でつながっている。

仮説やインタビューなどでA、B、Cが思い浮かんだが、それぞれの関係性はわからない。だが、さらに考えていたら論点XやDが浮かび上がって、論点AとBの関連性がわ

図表4-5　虫食いツリー

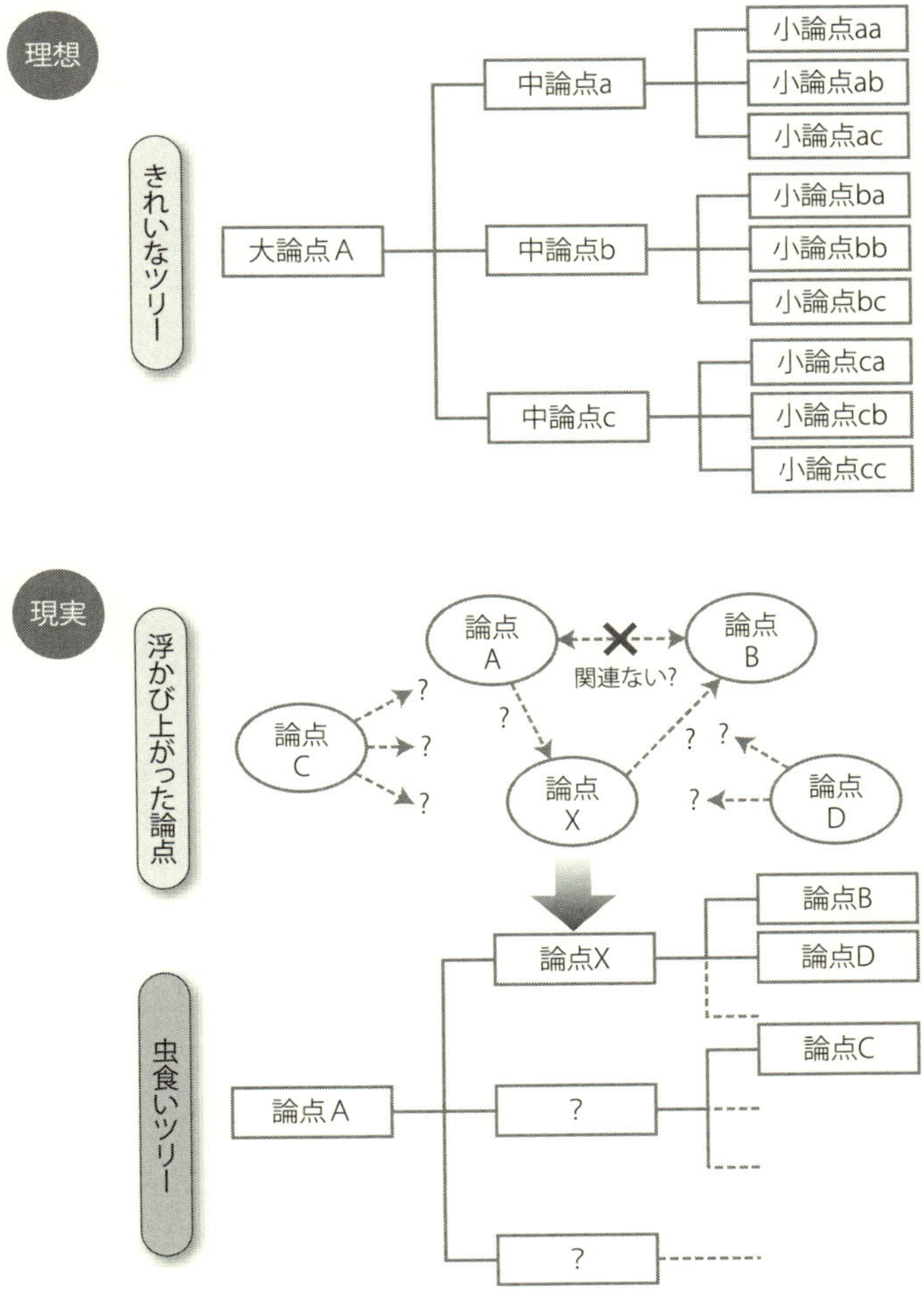
理想
きれいなツリー
大論点A
中論点a
中論点b
中論点c
小論点aa
小論点ab
小論点ac
小論点ba
小論点bb
小論点bc
小論点ca
小論点cb
小論点cc
現実
浮かび上がった論点
論点A
論点B
関連ない?
論点C
論点X
論点D
?
虫食いツリー
論点A
論点X
論点B
論点D
論点C
?
?

かってくる。そのように虫食いツリーが少しずつ完成されていく。最初はバラバラだが、最後にはきれいなツリー構造に整理されることもある。これはあくまで結果としてきれいになったのであって、最初からきれいなツリーを描こうとしなくてよい。

▼論点のレベルの違いを意識する

業績不振の航空会社K社を再建するために、もし最初に「負債圧縮」と「営業力アップ」が論点として浮かび上がったとしたら、この二つは、直接的にはリンクしない。そのとき「これはレベルが違うかもしれない」と考える。あるいはより上位の論点があるのではと疑う。

この例でいえば、負債圧縮の上位論点として財務体質の改善が考えられ、これと営業力アップが同一レベルの論点になる場合もあるだろう。あるいは営業力アップのほうも、キャッシュフローの改善が上位論点となる場合があり得る。その場合は、営業力アップという収入を増やしてキャッシュフローを改善するという論点以外に、同じレベルにコストダウンして費用を減らし、利益すなわちキャッシュを増やすという別の論点が浮かび上がってくる（図表4－6）。

図表4-6　2つの論点の関係を探る

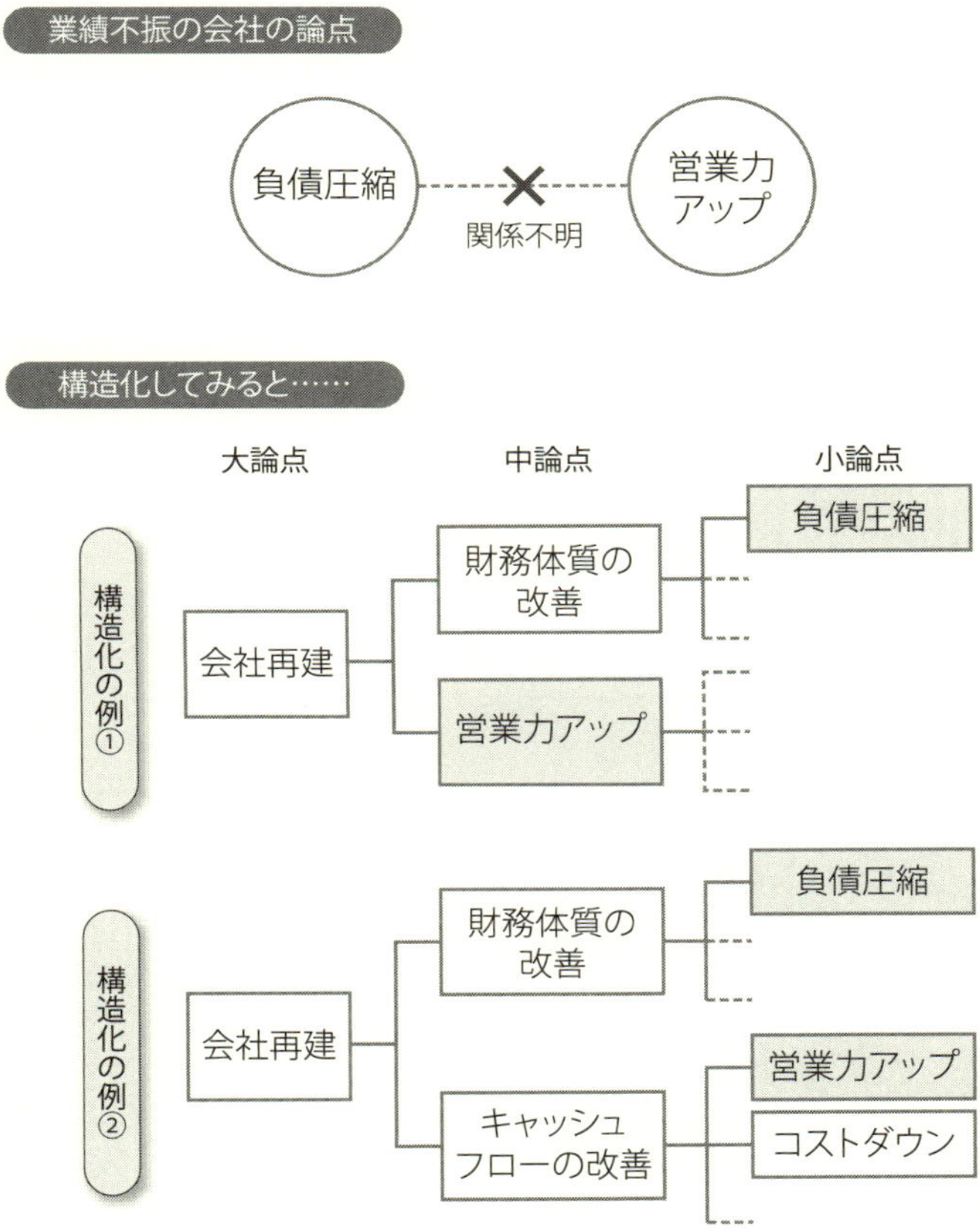

・2つの論点のレベルが違う、あるいは、大論点の前に2つを関連づける上位論点があったりするケースがある。

図表4-7　虫食いツリーの例

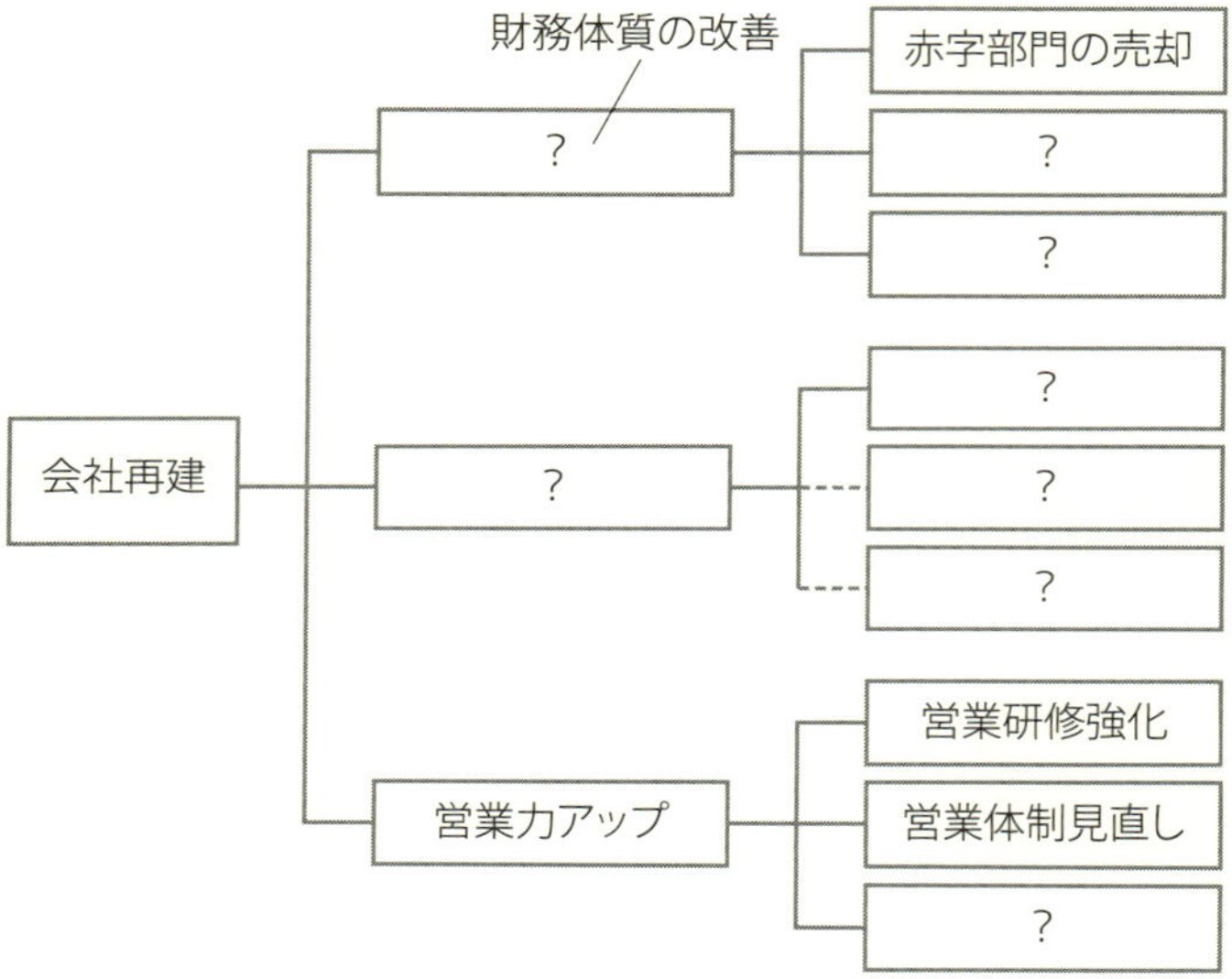

このように論点のレベルが違うことはよくある。例えば、「K社を再建するために、赤字部門を売却すべきか、すべきではないか」が論点というときに、「営業力アップを図って売上げを上げないとK社はもたない」という要素が見つかったとしよう。赤字部門の売却と、営業力アップの話は一見関係ない。こういうレベルが違う論点が浮かび上がってきた場合は、とりあえず虫食いのツリーに仮置しておけばいい（図表4－7）。

そのうちに実は財務の問題があると気づく。その上で論点の全体像を見ながら、会社再建という大論点のためには、財務体質の改善が絶対条件とわかれば、それが中論点となる。しかし、実際の解決策としては、企業体力を考えてまずは営業力を強化してキャッシュフローを増やそうという判断をする。

別のケースを考えてみよう。「今後三年間のキャッシュフローを計算すると債務超過になって倒産の可能性があるのでなんとかしてほしい」と相談された場合は、クライアントはいま取り組むべき大論点に気づいているということになる。同じクライアントから「最近売上げが伸びていなくて赤字決算になっている。問題があると思われる営業を立て直してほしい」と相談された場合は、大論点には気づいておらず、中論点である営業力が問題だと思っているということだ。

そういうときは前述したように質問しながら、「営業の問題を解決しても財務の問題は解決しないのではないか」「財務の問題が大論点だが、一朝一夕に手をつけることはできないので、まずは資産を売却してお金が回るようにし、次に営業を立て直し、その後、財務の問題に取り組む」というように、中論点を含めて大論点を構成する。

大論点を解くためには中論点や小論点を含めて解きほぐさないと、いきなりは解けないことがある。

前述の航空会社K社の例でいえば、経営改善するためには、一つは収入を増やすという意味で営業やマーケティングを改善する。もう一つは、財務体質を改善するという二本が必要だ。財務だけではタコの足の切り売りになってしまう。営業だけやっていてもお金が足りなくなったら会社としてはアウトだ。だから総合的な判断が必要になる。

▼全体像を把握しながら目の前の仕事を行なう

経営者は大論点をだいたいわかっている。だがコンサルタントや一般ビジネスパーソンに仕事を依頼してくる人物（経営者の場合もあるが、部門長、上司、他部門の場合もある）は必ずしも経営者とはかぎらない。例えば事業部長、経営企画部長などから依頼されることも多い。そうすると彼らの論点と経営者の論点がずれていることがよくある。

論点は人によって変わると前述したが、立場によっても変わる。

コンサルティングのプロジェクトの場合、大論点はほとんどの場合、シニアのコンサルタントが出す。大論点を与えられたプロジェクトマネジャークラスのコンサルタントは、部下を使いながら大論点に応える。だからコンサルタント同士の会話で日々飛び交っている「論点」とは、これまで話してきたような大論点のこともあるが、ほとんどは大論点を因数分解したときに現れる中論点であり、小論点である。

一般のビジネスパーソンでも、上司から「営業体制の問題を解決してほしい」（大論点）という指示を受けてプロジェクトに取りかかったりする。調査すると、少人数の営業で利益を出している地域と、そうではない地域があった。すると次にその違いはなにかと考える。これも論点だ。それは大論点をクリアするための小さな論点だ。これは企業の中間管理職とよく似ている。

与えられた論点は中論点であり、小論点であるかもしれない。それを大論点と考えてしまう（それだけが問題だと考えてしまう）と間違うこともある。上位論点として中論点や大論点があることをにらみ、全体構造の中で自分の問題を解いたほうがいいし、自身の成長につながる。

だから大論点を意識する姿勢は仕事の中でつねにもつべきだ。仕事のポジションにかかわらず、つねに大論点を意識するという姿勢をもつことによって成長することができる。その上で、どれを自分が実際に取り組む論点にするかはまた別の話だ。

自分が解決しなくてはいけない仕事はなにかと考える。いまなにに答えを出そうとしているのかと考える。なんのために、なにを解決するのか、どういう問いに白黒をつけるために、自分の時間を注ぎ、いかに会社の役に立っているのかを考える。

仕事と作業は違う。仕事をしていると、どうしても「作業屋」になってしまうリスクがある。ハウツー本があふれ、エクセルの達人、情報収集の達人、検索の達人などが増えているが、そうした技術は手段にすぎない。なにか目的があってその手段を使っているのであって、目的と手段を取り違えてしまうとまずい。

全体像がきちんとわかって、自分のやる仕事は「これ」と見極めることが仕事でとても大事だ。

▼論点を見つけてから構造化する

ここまで述べてきた問題設定の仕方が巷《ちまた》でいわれている方法とは逆なことに気づいたであろうか。

通常紹介されている方法論は、まず課題を構造化し、全体像をつかむことを最優先している。次に個別の課題の因果関係を明らかにして、それぞれの問題の解決法を考えていく。

ＢＣＧ流のアプローチは、まずこれが問題ではないかという点に当たりをつけることから始める。次にそれについて経営者の話を聞いたり、現場を見たり、あるいは自分の過去の経験を蓄積してあるデータベースと照らし合わせることで検証する。そして最後に念のために、間違いがないかを全体像で確認する。ここに論点思考の極意がある。

第5章

ケースで論点思考の流れをつかむ

The BCG Way——The Art of Focusing on the Central Issue

ケース

「原料費が上がっている。コストの問題を解決してほしい」と上司から指示された

▼まず、現象の把握から始める

この章ではこれまで述べてきた論点思考を使って、実際にケースを考えていく。

おおまかな流れとしては、最初に現象がある（問題、論点ではない）。そこから仮説を立て、論点を拾いだす。次に仮説として立てた論点が、正しいかどうかを考える。また、解けない論点、解いてもインパクトの小さい論点であれば、外したり、優先順位を下げるなど、論点の絞り込みをし、検証整理、構造化を図る。

【問題】
あなたは製菓メーカーの経営企画部員である。上司の役員から経営戦略立案を指示

された。「最近、原料費が上がっていて、今期赤字になりそうだ。なんとかこのコストの問題を解決してくれたまえ」といわれた。さて、あなたはどうアプローチするだろうか。

売上げ・利益は近年減少傾向にある。あなたの会社は、商品としては幼児から小学生向けのスナック菓子、キャンデー、キャラメルに強い。販売戦略は、息の長いヒット商品を大事にするスタイルだ。

製菓業界全体を調べてみると、業績は横ばいか、ややマイナス傾向にある。一九九七年から二〇〇六年の九年間で生産数量で九五・五％、生産金額で九四・九％に縮小した。その原因は、市場が成熟化していること、健康志向で甘いもの離れが起きていること、少子化で子どもの数が減っていることなどが考えられる。だが、すべての企業がマイナスというわけではなく、業績を増加させたところもある。

一方で競合メーカー数は多く、何百社とある。市場は縮小していく中で競争は激化している。

また、小麦粉、カカオ、石油などの高騰にともない原料費・製造費がアップしている。商品開発は次々に行なわれるが、ヒット商品が出るとすぐに他社から同様の商品が発売されるため大ヒット商品、定番商品がつくりにくい。成熟した業界に共通する現象だが、商品開発による差別化もむずかしくなってきている。

一方で、菓子はコンビニが重要な販売チャネルだが、コンビニに置いてもらうには、「テレビCMが必須」といわれている。売れるか売れないかわからないのにテレビCMをうたなければならないので、マーケティングコストがかかる。

そのほか現在問題になっているのは食の安全だ。原料、トレーサビリティー、工場の品質管理なども問題になっている。輸入品の脅威も当然ある。

一方で、製菓の中でも健康志向ブームが起き、特定保健用食品（トクホ）の「むし歯の原因になりにくい」「歯を丈夫で健康にする」といった表示許可を取得したガムがヒットしたり、チョコレートではカカオポリフェノールの抗動脈硬化作用等、生活習慣病予防の効果認知を背景に、四〇代以上の男性をターゲットに健康機能をうちだしたもの、高濃度なカカオ原料比率で精神ストレス緩和効果、考えるエネルギー補給効果を訴求したものがヒットしている。

通常、これらはすべて問題といわれるが、これは単なる現象だ。あなたは「本当の問題はなにか」という視点で現象を見る必要がある。

▼当たりをつける

まず「コストアップや競争激化は真の論点ではない」という仮説を立てる。その理由は、あなたの会社は利益を落としたが、利益を落としていないメーカーもあるからだ。競争激化や原料のアップといった要因が全製菓メーカーに影響を与えているわけではない。

あなたの会社の論点は、業界共通の原因から来る問題ではなく、企業固有の問題ではないか。

論点候補の一つがターゲットセグメント（自社が対象としている顧客層）の問題だ。子どもの数が減少していく中で、あなたの会社の商品構成は、幼児から小学生向けのスナック菓子に重きを置いている。商品構成が市場とミスマッチを起こしている。つまり成長市場の大人の健康志向や、ボリュームの大きい市場を形成する中高生・大学生・ＯＬの志向とマッチしていない。

また企業戦略は、息の長いヒット商品を大事にするスタイルだ。それは子どもの人口が増加・現状維持のときには代替わりしても売れ行きを維持できるが、子どもの人口が少なくなってしまうと商品愛用者数が減る。子どもに熱狂的に支持されている商品で、大人はまったく買わないタイプのものは、子どもの人数が半分になれば、同様の支持を受けても、売上げは半分になる。

もしロングセラーに頼るのなら、少なくともセグメントの年齢上昇に対応できるようにするか、増えていくセグメントに向けたロングセラーを開発しなければならない。

以上のような問題のほうが、コストアップや競争激化より、あなたの会社にとっては大きな論点だ。

もう一つの論点候補は菓子の構成比だ。菓子には主な分野として、キャンデー、キャラメル、チョコレート、チューインガム、ビスケット、米菓、スナックとあるが、各分野で少しずつシェアをもっていると、コストやマーケティング費用が別々にかかってしまう。どこか一カ所で強いほうが、利益をあげやすい。

また縮小する分野にこだわり続けると業績を悪化させる。キャンデー、キャラメルは、明らかに縮小している分野だが、あなたの会社はこの分野でナンバーワンだ。いくらナンバーワンでも、縮小している市場では限界がある。

伸びているメーカーは、健康志向の分野で伸びているが、あなたの会社は参入していない。

菓子業界全体が厳しいのは事実だが、あなたの会社が特に負けているのは、戦略に問題があるからだ。市場の変化と商品構成とがミスマッチしているということが大論点だと気づく。原料費のコストダウン、生産工程、ＳＣＭ（サプライ・チェーン・マネジメント）を工夫してのコストダウンは、一時的なカンフル剤になるかもしれないが、抜本的な解決にはならない。このように論点の仮説をもつ。

▼インタビューでインプットする

次に、経営者や幹部にインタビューで質問したり、仮の論点をぶつけて反応を見る。一回目には、「そもそも今回の不振がなにから来ていると思うか」と聞いてみる。経営者が「コストアップや競争激化が原因だ」といっているときには、そこで思考停止していることが多い。

だが、あなたの業界の場合、同条件で儲かっている会社もある。だとしたら、「他社が儲かっていて、自社がそうでないのはなぜか」と聞いてみるのもよい。経営者の思い込みを一つひとつつぶしていくわけだ。

業界全体で起きているのは、日本市場の成熟化、競争激化、原材料・製造費アップ、広告・マーケティングのコスト増、食の安全、古いブランド依存などがある。

競合他社を見ると、利益がすべてマイナスになっているかというと、必ずしもそうではない。また、利益を落としている企業をよく調べると、L社は原材料・製造費アップのために利益を落としているが、M社は食の安全に関連したコスト負担で利益を落としていることが判明したとなると、個別企業の業績悪化はこうした要因の組み合せで起きている可能性がある。経営者が論点と思っていることは、菓子業界のすべてのメーカーに起きていることでないとわかった。

経営者がそのことを見逃していたらそこに問題があるのではないかと考える。

その上で、「考えられる要因のうち、どれが一番重要な要因ですか」「他社と比較して特に強いところ、特に弱いところはどこですか」というように、企業固有の問題はなにかと探るために潜んでいる可能性を質問していく。

前述した仮説をぶつけてみるのもよい。つまり、「商品構成がターゲットセグメントとミスマッチを起こしていないか」ということである。

これ以外の可能性としては消費者ニーズの変化が考えられる。大人が健康志向のお菓子を食べるようになり、一方で油分、塩分の多い菓子が嫌われる。

あとは、カテゴリーのポートフォリオの違い。これは企業によって相当違う。自動車メーカーはその典型だろう。例えば、三菱自動車のパジェロが、顧客のRV志向によって大ヒットした。ワゴンブームになると富士重工のレガシィが大ヒットした。企業ごとに業界平均の伸び率と差が出ることが、往々にしてある。

インタビューのポイントは、相手が語る悩みや問題点をそのまま鵜呑みにして論点としないことだ。というのも、彼らが現象を間違って解釈している可能性も多い。あるいは、数ある論点の中から自分の思い込みで論点を選んでいることも多いからだ。その点は十分に注意しなくてはならない。もう一つは実際に現場を見ることだ。例えばスーパーやコンビニの菓子売場を見たり、流通問屋に話を聞くことによって問題がわかることもある。

▼引き出しを見る（アナロジーで考える）

同時に、ほかの業界で似たことを経験していないかと考えてみる。

例えば、自動車業界でもターゲットセグメントのシフトが起きている。二〇〇八年の金融危機以降、商品構成に小型車、軽自動車をもっていない企業は、ユーザーのニーズの変化に対応できず、苦境に立たされた。米国市場において、ホンダがトヨタに比べて売上げを落とさなかったのは大型車への依存度が低かったからである。このことを知っていれば、菓子メーカーの話を聞いたときに、「ターゲットセグメントのシフト」というキーワードが頭の引き出しから出てくるだろう。

コストアップ、競争激化、子どもの数の減少は、業界全体に等しく起きているので、それだけが理由であなたの会社だけが落ち込むのはおかしい。もし本当に業界構造の問題だったら、他社にも等しく起きているはずだ。それが起きていないとしたら、それは本質的な問題ではないはずだ。

少子化という点で他業界を考えた場合、文房具メーカーでも似たような課題に直面しているはずだ。文房具といっても事務用、学童用、中高生やＯＬが使うファンシーなものでは対象となる顧客セグメントも違うし、用途も違う。もちろん売れている場所（チャネル）も大きく違う。数十万円する万年筆もあれば数十円の消しゴムもある。だから、子どもが減るから文房具が売れなくなるというほど単純な問題ではない。同じように子どもが減る＝菓子が売れなくなるのではないとわかる。

▼構造化で論点を確認する

これまでの仮説、インプットなどを踏まえて、メモにまとめる。業界全体に起きている問題なのか、あなたの会社の個別の問題なのかを分けて考える。

【与えられた論点】

・コストの問題をいかに解決するか

【論点候補のリストアップ】

	業界全体の問題	論点
市場の成熟化	○	×
競争激化	○	×
原料費・製造費アップ	○	×
商品開発による差別化困難	○	×
広告・マーケティングコスト増	○	×
食の安全	○	×
輸入品の脅威	○	×
古いブランドに依存	×	○
消費者ニーズの変化	○	○
商品カテゴリー・ポジション	×	◎

業界全体の問題は、この場合の論点ではないので除く。そうすると、「古いブランドに依存」「消費者ニーズの変化」「商品カテゴリー・ポジション」が論点として浮かび上がる。これらが重なり、大論点は「商品カテゴリー・ポジション」ではないかという結論に行き着く。

さらに自社商品をPPM分析してみる（図表5－1。BCGが開発した事業ポートフォリオを考えるフレームワークで、プロダクト・ポートフォリオ・マネジメントの略。PPMでは二つの軸を取り、片方の軸に市場成長率、もう片方の軸に相対的マーケットシェアを取って、マトリックスをつくり、事業を四つの象限に分類する）。

シェアが低く、市場成長率の低いカテゴリーにある商品は「負け犬」、シェアが高く、市場成長率の低いカテゴリーにある商品は「金のなる木」、シェアが低く、市場成長率の高いカテゴリーにある商品は「問題児」、シェアが高く、市場成長率の高いカテゴリーにある商品は「スター」と分類される。

自社商品が「負け犬」ばかりではいけないが、一方で、全部「スター」にあるのも危険だ。お金がかかるから「問題児」に落ちる可能性がある。理想をいえば、稼ぎ頭である「金のなる木」があり、いくつかの「問題児」があり、そのうちの一つか二つを「スター」にすることだ。

図表5-1　PPM分析

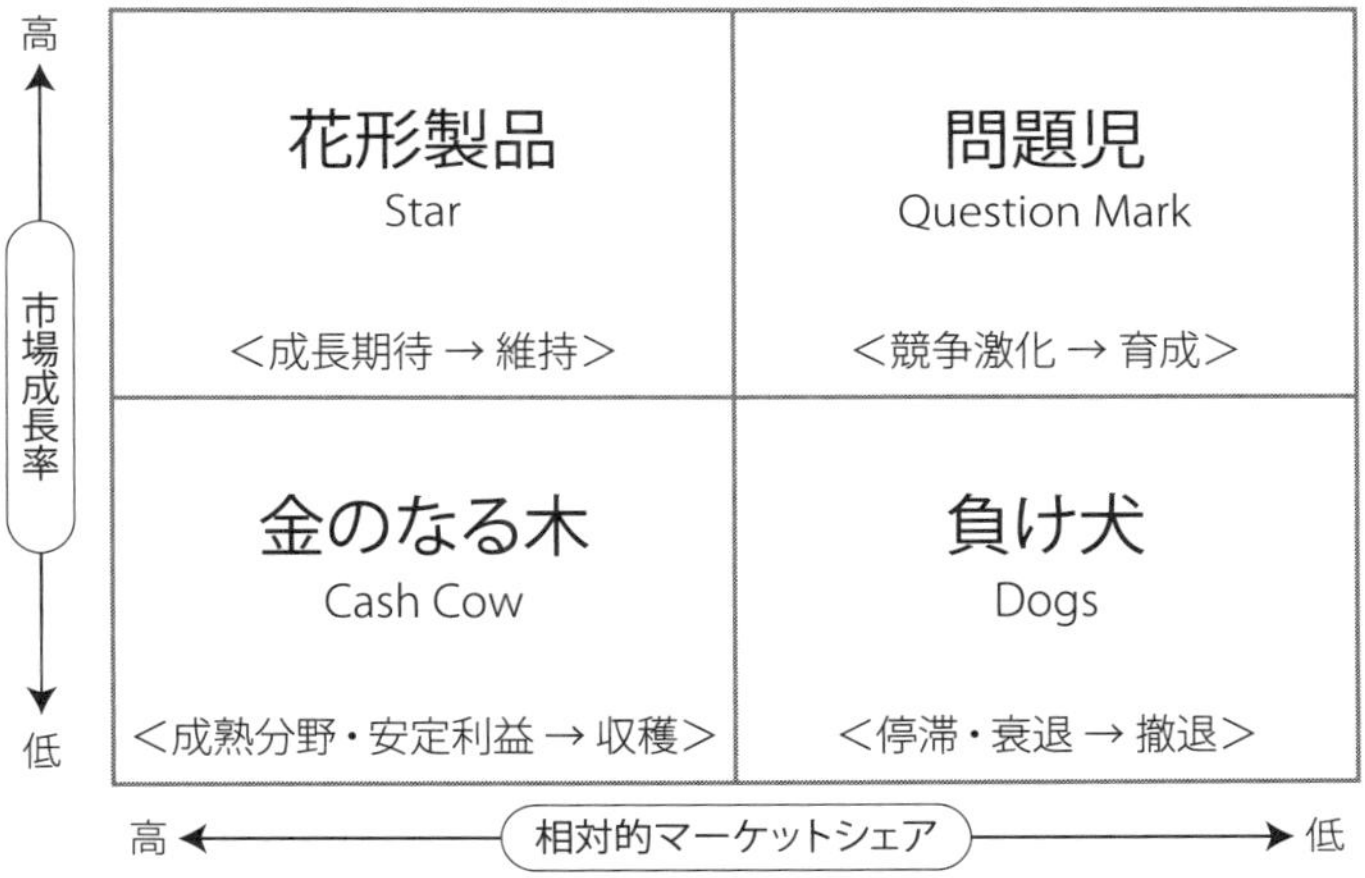

あなたの会社の場合、子ども向けスナックは「金のなる木」であり、キャンデーやキャラメルは「負け犬」である。

一方で成長市場である大人向けや健康志向に対応した商品はもっていないか、弱いため、問題児や花形製品はほとんどないということになる。

こうした論点の構造化を通して、当初の「市場の変化と商品構成がミスマッチしていることが大論点」という仮説は検証できたことになる。

▼作業屋で終わってはいけない

扱う問題によって参照する引き出しは変わる。在庫の問題、品質の問題、情報システム、物流コスト、組織のあり方など、問題によって、それに関連ありそうな引き出しを開ける。

私の引き出し（工具箱）には、さまざまな内容が入っている。例えば、次のようなものだ。

- 3C分析（Customer, Competitor, Company）
- マイケル・ポーターの五つの競争要因
- マイケル・ポーターの三つの基本戦略（差別化、集中、コストリーダーシップ）
- バリューチェーン分析
- PPM分析
- 製品ライフサイクル
- ロジャースの普及理論
- コトラーの競争地位別戦略
- アンゾフの成長マトリックス

その他、さまざまな経営法則が入っている。

だが、毎回これらを片っ端から適用することはしない。

この場合のように、商品構成のミスマッチを証明する場合、ＰＰＭは適している。だが、バリューチェーンの分析、ポーターの五つの競争要因、業界構造の分析などをやってもなんの意味もない。

だが、経営戦略の本を見ると、こうした分析手法をすべてやることになっている。これは網羅的な考え方で、問題解決に結びつかない可能性が高い。

私が実際にやる場合はここまでブレークダウンすることはなく、直観的に論点を選び取っている。使わなくてもよい分析手法を無意識のうちに消している。それはコンサルタントを何年もやった経験から、知らず知らずのうちに身についたことだろう。経験の浅いうちはまずいろいろとやって経験を積むということが大事になる。ただし、経験を積むといっても、はじめに当たりをつけ、トライ・アンド・エラーしていくことが経験を加速化させる。これを忘れてはならない。

論点は意思決定ができるようになるとわかるようになる。小さいレベルでも意思決定をしていくと、自分として「こうではなくて、こうだと思う」という判断力がついてくる。判断できるということは裏側に論点があって判断している。

私も作業屋だった。ずっとパソコンをたたき、データを集積していた。それの反省から、作業屋に終わってはいけないと盛んにいっているのだが、そのプロセスを経験したから論点が設定できるようになる。作業に没頭したことのない足腰が弱い人間に、ちゃんとした判断ができるのかとも思う。だから、一度、作業屋になることは避けて通れない道なのではないかと思う。

どの作業をどのくらいやって、なんの答えが出せるのかという感覚がない人には、正しい問いと仮説はもてない。ビジネスパーソンの場合、どんな業界でも現場をやっているというのは大事だ。経営の意思決定は0か、1かの世界ではない。グレーの世界の意思決定になってくる。それができるのは現場での経験だ。

▼論点から導きだされた解決策

以上から、あなたの会社では、例えば次のような経営戦略が立てられるだろう。

【解決策A】

子ども向け商品は商品数を絞り込み、その中で例えばスナック菓子にフォーカスしてこれはというブランドをつくって定番商品に育てる。

【解決策B】
これまでとは異なる顧客セグメントで、自分たちの得意なロングセラー商品づくりを行なう。具体的には大人のセグメントか健康セグメントでも子ども向けの商品と同様な勝ちパターンをつくる。

解決策Aは自分たちの得意なセグメントにおける戦略の再構築であり、解決策Bは自分たちの不得手なセグメントへ得意な戦略の横展開である。

大切なのは、最初に与えられた論点を鵜呑みにしないこと、業界で問題とされていることを論点と見誤らないことだ。業界全体に起きていることを分析し、「このままでは生き延びることができない」と安直に業界上位の会社との合併、不採算事業の売却、撤退などを考えてしまうのが最悪のケースだ。コンサルタントがマイケル・ポーターの業界構造分析などから入った場合、そう考える可能性もある。

次に悪いのは、原材料費調達の工夫、サプライ・チェーン・マネジメントの見直しによってコストダウンに全精力を傾けるケースだ。もちろん一時的には必ずやるべき施策だが、縮んでいくマーケットでのコストダウンだから、減収増益をねらうわけで長続きはしない。

第6章

論点思考力を高めるために

The BCG Way——The Art of Focusing on the Central Issue

1 問題意識をもって仕事をする

▼本当の問題はなにかとつねに考える姿勢

仕事をともにする上司や同僚に論点思考の人がいれば、部下も加速度的に論点思考力を高めることができる。もしそういう上司や同僚がいない場合、自分で論点思考を高めるためには、どんなことを試みたらよいだろうか。

新しい論点や隠れた論点を見つけるためには、単なるロジカルシンキングにとどまらず右脳的発想が必要だ。さらにいえば、論点を設定する際には経験・蓄積が重要になるのだが、こうしたスキルを一日も早く高めるにはどうしたらよいだろうか。

一般のビジネスパーソンは、論点の設定という上流工程にかかわる機会は少ない。だからといって管理職になるまで関係ないと思っていていいかというと、そうではない。なぜなら論点思考を的確に行なう能力を身につけるには、日頃から「本当の課題はなにか」と、とことん考える姿勢を通じて、経験を積む必要があるからである。こういう姿勢があるかどうかで、ものの見方・考え方がまるで違ってくる。

また、すでに幹部や上司が設定した課題や論点を与えられ、自分が作業を進めるにしても、上位の課題・論点というところまでさかのぼって自分の問題として考えようとするかどうかで、自分の仕事に対するオーナーシップや、目の前の仕事に取り組む上での視野の広さ・視点の高さには大きな差が出るだろう。

ビジネスパーソンの成長にとって、もちろん具体的なスキルや知識の開発・蓄積も重要だが、こういったオーナーシップやものの見方・考え方による立ち位置の差は、中長期的にはるかに大きな違いとなっていく。

さらに、解決策の立案や実行が障害にぶつかったときにも、より上流のより大きな論点に立ち戻って考えることで、より創造的な解決策を発見できることも多い。日々の仕事の質やスピードを高めるためにも、経験の浅いうちから論点をつねに意識し、問いかける姿勢が重要である。

▼問題意識が論点思考を育む

最終的には、論点思考には経験の蓄積が重要になるのだが、同じ量の経験を蓄積しても、論点を設定する能力が高くなる人と、そうでない人がいる。これは個人の能力はもちろんあるが、姿勢が最も大切だ。

大論点を求めようという姿勢の有無によって、思考の方法はずいぶん違ってくる。課題はなにかとつねに考えている人と、ただ与えられた課題の答えを探している人とでは、考え方そのものが大きく違うのだ。

管理職になる前は、大論点は通常、上から与えられる場合が多いだろう。しかし、若手のビジネスパーソンでも、上から与えられたものをそのまま受け入れて、問題解決作業に没頭する人と、「この大論点は正しいか」という問題意識をもっている人とでは、時間がたつにつれて大きな差がついてくる。問題意識をもっている人は、同じ作業をやっても出来がいい。上に対してチャレンジができればもっとすばらしい。

私は若い頃から向こう見ずなところがあり、与えられた大論点に異議を唱え、「おまえ、まだ分析もできないのによくそんなことがいえるな」と先輩コンサルタントからたしなめられたことが何度もあった。

組織内で上司にチャレンジするのは結構勇気がいるが、「これは本当の論点か」という問題意識をもちながら仕事をすることなら、誰にでもできる。問題意識をもつ、というのは、「論点思考力」を鍛える第一歩といってもいいだろう。この姿勢をもつだけで、ビジネスパーソンとしての成長は加速し、論点思考がおおいに鍛えられるはずである。

論点設定という上流過程は、すでに経営幹部や上司が行なっていて、自分たちは設定された問題に取り組めばよいという状況が多い。だから若手のビジネスパーソンは、上司から与えられた問題を解くべき論点と思い込んでいる。しかし、問いの設定こそ重要であり、与えられた問題が「真の問題であるか？」と疑ってみることが重要だ。それが論点思考の第一歩となる。

2 視点を変える

▼視野・視座・視点の三要素で論点思考を高める

論点思考を高める上で大事なことは、「与えられた課題に疑問をもつ」に代表されるような、つねに違った視点でものを見たり、考えたりする癖をつけることである。しかし、視点を変えてものを見ることはたやすいことではない。

そこで私は視点以外に視野と視座を加えた三要素を大事にするようにしている。なぜなら、三要素のうち視野と視座はすぐにでも訓練できるし、成果もあげやすいからである。

▼視野——普段あまり見ていない方向に眼を向ける

視野が広いといえば、自分の眼をいつも見ている方向だけではなく、三六〇度の視野でものを見ることができる人のことをいう。論点思考で大事なことは、つねに広い視野でものを見ることで、これまで見過ごしていたものに注意を払うことである。

ついつい目の前の事象や論点にとらわれがちなのを、後ろから見たり、横から見てみたりすることで新しい論点が浮かび上がってくる。

例えばある企業でコスト削減のプロジェクトをやっているときに、これまでもやってきたことではあるが、原材料調達費の削減、部品の共有化、品種の削減などをあらためて検討していた。しかし、どうしても解が見つからない。そこで、違った見方をしてみようということになり、そもそものコスト構造がどうなっているのかという原点に返って、調べてみた結果、そのメーカーの生産規模では生き残りが不可能なことが判明した。要するに個別の要素コストをいくら下げても、全体としてのスケールメリットのほうが効くために、コスト競争力がつかないことがはっきりしたのである。

この場合は普段着目している部品単品のコスト削減や製品の単価を下げるのではなく、

総コストという見方をした結果、真の論点が浮かび上がってきたわけである。

蛇足ではあるが、論点がわかれば、まったく新しい製造方法を考えるとか、M&Aで必要な規模を確保するとか、具体的な解決策は比較的簡単に出てくる。もちろん、実行は容易ではないが、議論はすっきりするわけである。

では、こうした視野を広げた見方をするためにはどうしたらよいであろうか。一つは普段あまり気にしていないことに注意を向けてみることである。例えば商品開発力に定評のある企業であれば、逆に生産現場や営業現場の視点でものを見てみる。あるいは国内中心の企業であれば、海外市場や海外の競争相手に目を向けるなどもあるだろう。

もちろん個人の立場で考えることも可能だ。営業の人間であれば普段は顧客や流通など、自分の売り先のことばかり考えているわけであるが、逆に社内の事務部門や開発・生産部門に目を向けることで違った視点が生まれてくることが多い。

もう一つは第4章で紹介した、相手の靴を履いてみる方法である。自分が相手だったら、この問題はどう考えるかととらえ直すことで違った見方ができることも多い。

▼視座――二つ上のポジションに就いているつもりで仕事をする

視座とは、物事を見る姿勢や立場のことだ。平たくいえば、より高い目線で物事を見ることをいう。高い目線とは、役職の高さもあれば、鳥の眼的な高さもある。

例えば、私は自分が教えているビジネススクールの学生たちに、つねに実際の自分よりも二つ上のポジションに就いているつもりで仕事をするようにといっている。一つ上ではない。平社員ならば係長ではなく課長、課長ならば部長ではなく本部長、平の取締役であれば常務ではなく社長の立場でものを考える。

一つだけ上のポジションから見ようとすると自分自身のことと関連づけて物事を見てしまう、あるいはどうしても自分の利害が絡む。二つ上から見ようとすると、自分の立場を離れて考えることができる。二つ上の立場でものを考えることによって、自分のいま抱えている課題すなわち論点がより明確に浮かび上がってくるものだ。

あなたが九州の営業所の営業マンだとしよう。取引先からある大きな商談が舞い込み、意気揚々と出かけると、取引成立の条件は大幅な値引きだともちかけられたとしよう。この条件は、本社の決めた価格ガイドラインをさらに一割近く割り込む到底承認の下りそうもない価格だ。さて、あなたはこの問題をどうとらえるだろう。自分の問題としてとらえれば、もちろん価格を下げて条件をのみこの商談をぜひ成功させたい。これが決まれば、今期の営業ノルマ達成は間違いない。したがって、いかに値引き額を最小にしてこの商談を成功させるかが論点となる。

一方で、あなたの上司の営業所長の立場でこの問題をとらえてみよう。話は少し複雑になってくる。まずこの商談が成立すれば、営業所の業績をかさ上げすることは間違いないが、これだけで営業所のノルマを達成するにはほど遠い。一方で、あなたの取引先だけに好条件を出せば、万が一取引価格がばれたときには他の取引先から文句が出るだろう。あるいは、自分たちにも同じ条件を出せということになりかねない。そうなると、売上目標は達成しても利益目標からはほど遠い結果になる。一方で、この取引はあなたの営業マンとしての自信につながることは間違いない。モチベーションマネジメントの観点からはぜひ、成立させてやりたいと思う。

これが本社の営業部長の立場、すなわち二段階上の視点で見るとどうなるだろう。例えば、あなたの取引しようとしている先は全国チェーンの九州支店だとすれば、ことはやっかいだ。一地方で値引きを認めてしまえば、それが相手の本部との取引に悪影響を与えることは間違いない。したがって、いくら九州支店の業績アップになるとしても、あるいはあなたの育成につながるとしてもノーだ。なぜならば、ことは全国の価格政策の問題だからだ。一方、この取引先がローカルの小さな取引先だとしよう。したがって、ここに値引きをしたところで、本社あるいは全社に対する影響はあまりないとする。この場合でも結論はやはり、ノーになるだろう。というのは、本社が決めた価格政策は守らなくてもいいのだというメッセージが営業全体に発せられてしまう可能性が高いからだ。

仮にあなたの取引の値引きが認められるとしたら、どんな場合が考えられるだろう。一つは、売ろうとしている商品が他では売れる可能性のない商品で、あなたの取引先で引き取ってくれるのであれば、いい在庫処分になるケースだ。あるいは年度末で、この取引が成り立つかどうかで全社営業成績が対前年比プラスになる分岐点の取引の場合などだ。

もちろん、なにが正解かはわからないが、このように二つ上の立場でものを見ることで、自分の抱えている課題の性質や本質すなわち大論点が見えてくることが多い。ぜひ試してみてほしい。

二つ上の立場でものを考えることの別のメリットがある。それはあなた自身の将来像が描きやすいということである。毎日の仕事の繰り返しの延長上には、あなたの遠い将来は浮かび上がってこない。一方で将来なれるかなれないかわからない社長を想定して、自分のキャリアプランをつくるのも無理がある。現実的なのは二段階くらい上のポジションを想定して、それに向かって自分に足りないスキルや経験はなにか。あるいは自分がその立場になったら、どんなふうに仕事をやれそうか、あるいはどう変えてみたいか。こんなことを考えるのはそんなにむずかしくないはずだ。

平社員であれば、自分がどんな課長になりたいか、あるいはなったらどんなリーダーシップを発揮したいかなどを考えればよい。自分が中堅だとしたら、逆に部長としてどう振る舞うか、あるいはそうなるためにはどんなキャリアを積むべきかなどと想像することはとてもいいことである。もちろん、スキルやスタイルだけでなく、そのためには人的ネットワークの形成も大事な要素だろう。どうしても二段上のポジションの自分を想像できないということであれば、職種転換や転職を考えたほうがいいかもしれない。

このような問いのセットをもつことができれば、自分のやるべきことが相当明確になる。問いのセットが出せないということは、論点が明確でないということだ。あるいは問いのセットが無数にあったり、絞り込めていないと解決することはできない。矛盾していても解決できない。問いのセットのうちの、どれかに答えが出ると、自分の進むべき道が明らかになる。五つくらいの問いをつねに意識しながら生きていく。

意味のない論点を選択すると自分に変化が起きない。よい論点が選択できれば、時間の使い方が変わる、読む本が変わる、会う人が変わる、職場が変わるなどの変化が起きてくる。

▼視点——切り口を変えてみる

視点とは着眼点、目のつけどころである。別の言い方をすれば、ものを見るときにどんなメガネをかけてものを見るかであり、あるいは自分がどんなパラダイムに準拠してものを見ているかにほかならない。人は誰でも事象を見るときに、知らず知らずのうちに決まった視点で見ている。つまり、自分なりのものの見方をしてしまう。自分なりというくらいだから、人によって違う。すなわち視点は人によって違う。陥りやすいのは、誰でも自分の視点に固執しがちで、あるパターンにはまりやすいということだ。

BCGの御立尚資《みたちたかし》さんは、こうしたものを見る見方のことをレンズと表現している。すなわちどんなレンズを通してものを見るかで、見えるものが違ってくるということだ。

ここでは、いろいろな切り口でものを見る見方を一〇のパターンに分類して紹介する。もちろんこれらは内田流の考え方・見方であり、これ以外にいろいろな視点があるはずだから、自分で工夫してみてほしい。

① 逆から考える

まずは、逆張りの発想だ。あらゆることを逆から考えてみる。例えば企業は、製品やサービスを顧客にいかに効率よくデリバーするか、バリューチェーンの川上から発想しがちだが、逆に川下から考えてみる。

大手広告会社はテレビや新聞などのメディアの活用方法を顧客に提案している。その方法は大企業には合っているが中小零細企業にはそぐわない。予算もないし、マスを対象とした広告が合っているかも疑問だ。中小零細企業の立場で広告宣伝を考えると、グーグルやヤフーが提供している検索エンジン連動型のＷＥＢ広告のような新しいビジネスモデルが出てくる。

また、既存プレーヤーは自社のポジションにとらわれがちだ。そこで新規参入者だったら業界やビジネスをどうとらえ、変えられるかと考える。

例えば自動車保険におけるダイレクト損保だ。代理店を介さず顧客と契約するためダイレクトなのだが、安さの理由はそれだけではない。ダイレクト損保が主に扱うリスク細分型保険は、さまざまな条件で事故を起こす可能性の低い人を割りだし、安い保険料を提示する商品なのだ。ゴールド免許証の人、頻繁に車に乗らない人などをＣＭ等で呼び寄せ、保険金の支払いを抑えて収益を確保する。いくら保険料を安くしても、保険金を支払わなくて済めば、十分儲かる。ダイレクト損保の肝は、いかに事故を起こさない人を探し、保険加入してもらうか、というノウハウだ。これを、クリームスキミング（収益性の高い分野のみに業務を集中させいいとこ取りをすること）やチェリーピッキング（収益性の高い分野だけを選ぶこと）という。

既存プレーヤーは往々にして既存のパラダイムでものを考えるが、このように、「もし新規参入者だったらどうするか」という発想で自分たちの戦略を考えてみると、いままでとは違うアイデアが出る。

②業界最下位だったらどうするか

それに近い方法で、「業界最下位だったらどうするか」と考える方法もある。王者の戦略と業界最下位の戦略は当然違う。

ソフトバンクの携帯電話同士の通話料は無料だ。これは業界シェアが低いからできる戦略だ。仮に業界トップのNTTドコモのシェアが五〇％、ソフトバンクのシェアが二〇％としよう。するとソフトバンク同士の通話量は、二割の人が二割の人と行なうので全通話量の四％（〇・二×〇・二＝〇・〇四）にしかならない。この四％分を無料にすることで八割の非ソフトバンクユーザーのいくらかを取り込めるのであれば安い投資だ。一方で、ドコモ同士の通話量は、五割の人が五割の人と行なうので全通話量の二五％（〇・五×〇・五＝〇・二五）もあり、ドコモの通話料の半分を占める（ドコモ同士が五〇％、ドコモと他社の通話が五〇％になる）わけだから、ドコモ同士の通話料を無料にするのは自分の首を絞めることにしかならない。ソフトバンクの戦略は業界シェアが低いからこそできる戦い方だ。

③ 現場目線で考える

次に現場目線で見ることも大切だ。後輩コンサルタントにはとにかく現場に行けといっている。現場にアイデアやヒントがあることが多い。ところが実際行っている人は意外に少ないので差別化できる。

銀行のＡＴＭに関する仕事を手がけたことがある。ＡＴＭを設置すると、入出金の管理、保守、警備などの業務が必要となる。当時はそれぞれを別の会社が行なっていたが、一日現場で観察するうちに、これらの業務をすべて一社で行なったほうが効率的ではないかと思いついた。

調べてみると米国にはすでにそれを行なっている企業があった。ＡＴＭを保有し、銀行に貸して、管理、保守、警備などの業務を一括して請け負う。私たちはこのサービスの実行を提案したが、事情によりそのときは見送られた。それから一〇年以上が経った後、セブン銀行が同じビジネスモデルを導入したので、あのときのチームには先を見る目があったと自負している。

④ 両極端に振って考える

『戦争論』を著した軍事学者のカール・フォン・クラウゼヴィッツが「物事を両極端に考えろ」といっている。

私にもこんな経験がある。ある企業の新規事業部門が経営不振に陥り、事業撤退について議論していた。その事業部は二十数億円の規模だったが、六つの事業分野でそれぞれ五～一〇品目という多品種の商品を、全国展開の営業を通じて販売していた。私たちはこの事業部に対し徹底的なスリム化を提案した。六事業を三事業に絞り、アイテムも半減させる。するとトータルの取り扱い品目は四分の一になる。さらに営業地域を東京・名古屋・阪神に絞り込む。当然、事業部の人は反発する、そんなことをしたら売上げが半分以下になる。しかし、この企業は最終的には納得してその提案を実行してくれた。するとおもしろいように効率が上がった。一年目は売上げが若干減少したが利益率は改善し、二年目からは右肩上がりで売上げが上がり、現在では当時の一五倍の規模になっている。

⑤ロングレンジで考える

これは、キザな言葉を使えば、「夢見る人になりましょう」ということだ。経営にしても商品開発にしても二〜三年先を見据えて行なうことが多いだろう。そこで一〇年後、二〇年後はどうなるかと考える。すると違う発想が生まれてくるだろう。

例えば、自動車業界について議論する場合、仮に三〇年後に石油が枯渇していれば、現状の議論は成り立たない。ロングレンジでものを見ることで見えないものが見える。いま一生懸命やっていることも、長い目で見れば大した意味をもたないということもある。

⑥自然界からの発想

自然界で起きていることからアイデアがわくことも多い。ダーウィンは「同一の生態系を営む二種以上の種は生存できない」といった。同じ湖に住む魚でも、一方は藻を食べ、一方は小魚を食べるのであれば両方生きられる。同じ小魚を食べる魚が二種類いたら、片方が淘汰される。BCGの先輩の織畑基一さんに、「企業競争も同じだ」といわれたことがある。

植物は間伐しないと大きく育たない。全部は育たないのである。これは企業の資源投入に似た話で、全員底上げ教育や、全店舗をよくしようという取り組みはうまくいかないことが多い。一部社員、一部店舗を集中してトレーニングしたほうがうまくいくのだ。自然界で起きていることが企業経営や戦略のヒントとなることも多い。

⑦日常生活からの発想

若者が店で服や靴やバッグを見ながら携帯電話で話しているのを目にした。ふと聞いてみると、母親と「こんなものを見つけたが買っていいか」「似合うと思うか」などと話している。写メールで買いたい商品の画像を共有して反応をもらったりもしているようだ。

こういった場面に出くわすと、購買行動が大きく変化しており、これからは売るほうもいままでのような画一的なやり方ではダメだというヒントになる。

以下の三つはすでに第4章の「引き出しを参照する」で紹介したので、簡単に触れておく。

⑧アナロジーからの発想

ある業界で起きたことは、他業界でも起きることがあり、発想のヒントになる。

すでにあげた通信業界が航空業界の後追いをするという話以外にも事例はたくさんある。

例えば、自動車業界がＰＣ業界化するかもしれないという話もある。自動車製造は「すり合わせの技術」が必要で一朝一夕にまねできないといわれていたが、モーター、ボディー、シャーシを組み合わせれば完成する組立型の電気自動車の登場でその前提が危うくなってきた。

こうなると自動車業界は、これまでのように系列を抱えるのではなく、部品を購入して組み立てブランドをつけて売る完成車メーカーと、部品をつくって自動車メーカーに納めるプレーヤーに二極化する可能性がある。

実際に、そうした動きをしている部品メーカーもある。ボッシュは、ディーゼルエンジンと、その電子制御部分を製造し、他の自動車メーカーに販売している。ディーゼルエンジンをうまく制御すると、効率も上がり、排気ガスもクリーンになる。だが、この技術はブラックボックスで、世界中の自動車会社が、少なくともディーゼルエンジンをコントロールする部分はボッシュから買わなくてはならない。もし業界のＰＣ業界化が進めばボッシュはマイクロソフトかインテルに近い地位になるだろう。

多くの人は自分の業界を特殊だと思い込んでいる。だが似ている部分は多く、他業界は学びの宝庫だ。

⑨顧客視点で見る

一〇〇〇円でヘアカットができるQBハウスはユーザー発想の代表だろう。常連客に聞いてみると、一〇分、一〇〇〇円で整髪ができるので、これほど便利なものはないという。

既存の理髪店は、整髪だけではなく、洗髪、ヒゲそり、マッサージなどのサービスをフルで提供することをなんの疑いもなく行なっているが、実は急いでいるユーザーは、そのようなサービスは必要としていない。QBハウス成功の秘訣はもちろん安さもあるが、スピードに対するニーズを的確にとらえたことだと思う。

⑩鳥の眼・虫の眼で考える

経営者は物事を大所高所から見る。だから虫の眼が必要だ。現場で働いている人の見方を知る必要がある。一方、現場で働いている人はどうしても虫の眼になってしまうので、鳥の眼が必要だ。立場を変えることで、ものの見方は変わる。

新しい発想を生みだしたり、人にはないものの見方をする視点というものは、センスが必要で、訓練すれば身につくという類いのものではない。しかし、視野を広げ、視座を高める努力を続けていくことで、経験が蓄積され、結果として新しいものの見方や発想を生みだす視点が磨かれていく。

ＢＣＧでは「切り口を変えてみよう」という。これは視点を変えることだ。例えば、徹底的にコスト分析をやったが、どうにも答えが出ない、説明がつかないという場合に、「視点を変えてみよう」「切り口を変えてみよう」というのは、「コスト以外の要素で見てみないか」ということだ。具体的にいうと、ブランドという視点で見てみようとか、プロセスを見てみようとか、サービス面でスポットを当ててみようという発想になる。そういうものを「切り口を変える」という。

3 複数の論点を考える

▼問いが出せないのは危険

論点思考で複数の論点が思い浮かばないとすれば、それは要注意である。発想が貧弱かあるいは視野が狭いために一つしか浮かばない、あるいは、逆に思い込みが激しく他の論点があることを見逃しているかのどちらかを疑う必要がある。もちろん、いつも解決すべき論点すなわち大論点を他の論点に惑わされることなくただ一つだけ見つけることができるというのなら、複数の論点が浮かばないのはとてもよいことだが、そんなことは滅多にない。あるいはそこまでの境地にたどり着くには大変な経験と年月を必要とする。

普通は「これが論点かもしれない」というのがまず浮かぶが、「いや待てよ、こちらかもしれない」とか、あるいは二つ以上の論点が浮かんでどちらが重要かがよくわからないという状況になる。

第2章でも取り上げた経営不振のレストランの例でいえば、まずは常識的にまずいから客が入らないのではないかという仮説を考える。そうなると論点は、お金を払う価値がないほど絶対的にまずいのか、それとも価格や立地・サービスの割にまずいという相対的なものなのかというのが解くべき論点として浮かび上がってくる。

一方で、立地の悪さが原因ではないかと考えると、わざわざ車で行くようなタイプのレストランではないのに、駅や繁華街から離れているせいではないかという仮説も考えられる。そうなると、解くべき論点は対象顧客層と提供している食事のタイプと立地が三つともマッチしているかどうかということになる。

あるいは競争が原因ということも考えられる。例えばほんの数カ月前まではなんの問題もなく経営していたのが、三カ月前に近所にライバル店ができてから売上不振になったとすれば、競合の有無をはっきりさせ、本当に客を奪われているかどうかを検証する必要がある。

このようにある現象を観察するときに複数の論点が仮説とともに出てくるようになれば本物である。それらを比較することで、最も重要な論点にたどり着ける可能性が高くなる。あるいは、次元の違う論点が出てくれば、より上位概念でくくり直したほうが真の論点に近づく可能性は高くなる。さらに、自分が思いついた一つだけの論点にこだわっていると、より上位の大事な論点を見逃すことにもなりかねない。例えば、あなたがレコード会社で研究開発に取り組んでいるときに、世の中がＣＤから音楽配信に変わりつつある現象に気がつかなくて、より高品質のＣＤ録音技術にこだわるようなことになりかねない。

もちろん、論点が多数出てきて、すべてをしらみつぶしに調べないと気が済まないというのも、それはそれで困った問題である。網羅思考ともいえるし、ＭＥＣＥ依存症ともいえるかもしれない。

しかし、どちらかというと読者の素朴な疑問は、そんなに簡単に論点が見つかるものなのだろうか、というものだろう。

どうしたら問いが立てられるかは、個人でも企業でも同じ悩みを抱えている。

一つの解決策は、とにかく日頃からこれが問題だ、あるいはこれが解決策だというもの以外に最低一つは別の問題や答えを考えてみる癖をつけることである。コンサルタントの場合は、顧客の悩みや問題意識を疑ってみるのが商売みたいなところがあるので、つねに別の論点を探そうとする訓練ができている。

ところが一般のビジネスパーソンの場合は、どうしても上から与えられた課題を鵜呑みにしがちである。したがって、課題レベルを疑うのはむずかしいかもしれない。でも、解決策をいくつか考えることはそんなにむずかしいことではないだろう。これは別の言い方をすれば、大論点は疑わずに受け止めるが、中論点は自分でいくつか考えてみるということだ。

営業担当者が「営業成績を上げるにはどうしたらいいか」という論点をもったとしよう。その上で、「訪問件数をもっと増やしたほうがいいのか」「訪問件数は減らして一個一個丁寧に面談したほうがいいか」という二つの考え方がある。こういうときは実験してみる。今月は訪問件数を増やし、来月は訪問件数を絞って丁寧に商談する。そうしているうちに解決策というものを実感できる。

▼代替案を考えるには上下左右の論点が重要

論点の代替案を立てられることはすごく重要だ。Aの論点を解けという課題を与えられると、それを因数分解して解決してしまいがちだが、実はA以外に並行するBという論点があるのではないかと考える。競合に負けている要因は商品力に差があるからだと上司にいわれ、商品力の向上を図っても、そもそもコスト構造に問題があるとしたら、いくら商品のことを考えても意味がない。

違う論点を考えることができれば、それを解決するための解決策も考えやすい。なぜかを説明しよう。ある論点Aに①、②、③という三つの答え（代替案）があったとしよう。また、Aとは別にBという論点があったとすれば、当然論点BにはAとは異なる解決策④⑤、⑥が存在する。

この別の解④が存在することで、論点Aの解決策①、②、③のどれが適切な解かがはっきりすることがよくある。論点Bの存在を知ることで①、②、③のどれもが意味のない答えになってしまうこともある。その場合はそもそも論点Aが筋が悪いということになる。

例えば、近所に評判のよい競合が現れた学習塾を例に考えてみよう。競合はオリジナルの教材を使用し、わかりやすいという評判を得て、生徒数を増やしている。危機感を感じた塾長はあなたに、「こちらも生徒数を増やす施策を考えてほしい」といったとしよう。生徒数を増やす施策を因数分解して、「①チラシを配る」「②授業料を下げる」「③生徒による紹介制度導入で入会金免除」などを思いついた。しかし、①～③の施策を行なったところで、効果があるかどうかはわからない。特に子どもに少しでもよい教育をと考える親の気持ちを考えると、値下げや認知度のアップでは、評判のよさにはかなわないように思う。そこで、授業の質を向上させるという論点に気づいた。これこそ評判のよい競合に対抗する手段であると考えた。すると、①～③の施策よりも、「④カリスマ講師をスカウト」「⑤すでに在籍している講師の指導力を上げる」「⑥生徒の要望をフィードバックする制度の導入」という論点のほうが有効に思えてきた（図表6－1）。

第4章の「論点を構造化する」でも述べたように、論点を与えられたときには、まず同じレベルでまったく別の論点がないかを考えてみることが大事になる。次に、それぞれの論点を包含するような上位概念の論点がないかどうかを考えてみる。

▼自分の主張の論点を明確にする

ある物事を主張するときに、自分がどういう論点構造の中でなにを主張しているかを考えることが極めて重要となる。なぜ自分がそれを主張しようとしているかというのを突き詰めていくと、自分とは異なる論点の存在も浮かび上がるし、自分の論点より上位概念の論点に気づくことも多い。さらに社内で自分とは異なる意見の持ち主が、自分が組み立てた論点構造の中の、どの部分についてどんな解決策を念頭に主張しているのかがわかれば

図表6-1　上下左右の論点を考える

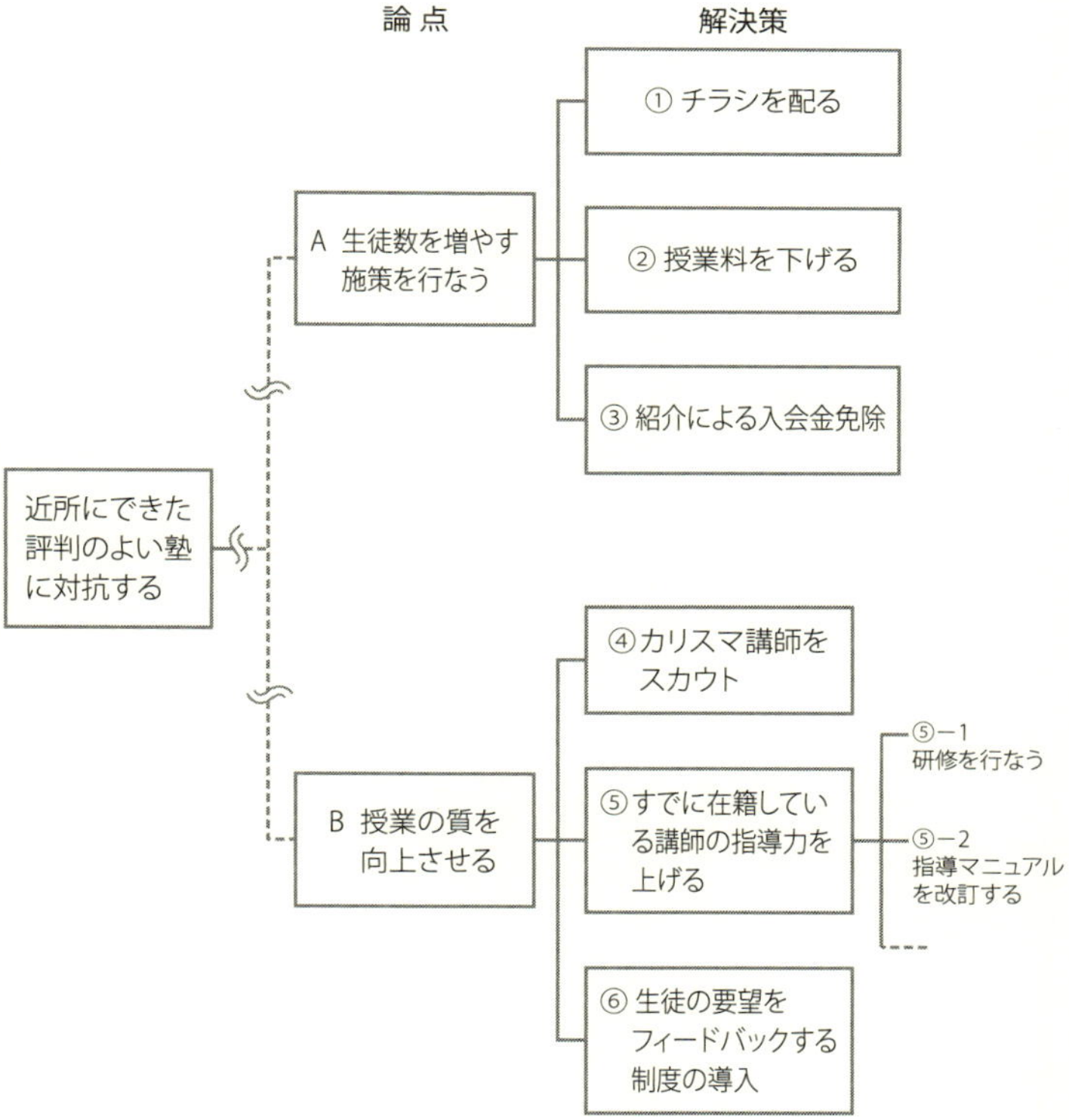
論点
解決策
近所にできた評判のよい塾に対抗する
A 生徒数を増やす施策を行なう
B 授業の質を向上させる
① チラシを配る
② 授業料を下げる
③ 紹介による入会金免除
④カリスマ講師をスカウト
⑤すでに在籍している講師の指導力を上げる
⑥ 生徒の要望をフィードバックする制度の導入
⑤−1 研修を行なう
⑤−2 指導マニュアルを改訂する

問題は解決にさらに近づく。

例えばあなたが、玩具メーカーの経営企画担当だったとしよう。主力商品である子ども向けカードゲームの市場シェアは変わらないものの、市場自体が年々縮小し、売上げ・利益ともに落ちている。あなたはシェアアップをねらって自社の営業が弱い地域を強化して新規顧客開拓する、あわせて営業人員の配置を見直してコストダウンを図ろうと考えている。ところが、営業部長はその案には反対で、新規顧客開拓用の営業費用を縮小してコストダウンを図り、既存顧客の掘り起こしに集中するのが得策と考えている。

このとき、図表6－2の自分が考えた論点構造の中で、反対する人がどの論点を重要に考えていて、なにを解決策として主張しようとしているかを理解することは極めて重要である。この場合、反対している営業部長は「新規顧客開拓」ではなく「既存顧客重視」、「営業人員の配置見直し」ではなく「営業費用の見直し」を求めており、シェアアップよりはコストダウンを重視しているのがわかる。

▼反対者の意見を想像する

代替案を考えるとき、反対しそうな人の立場になって、自分の案をあえて批判的に見て

図表6-2　相手の論点を見極める

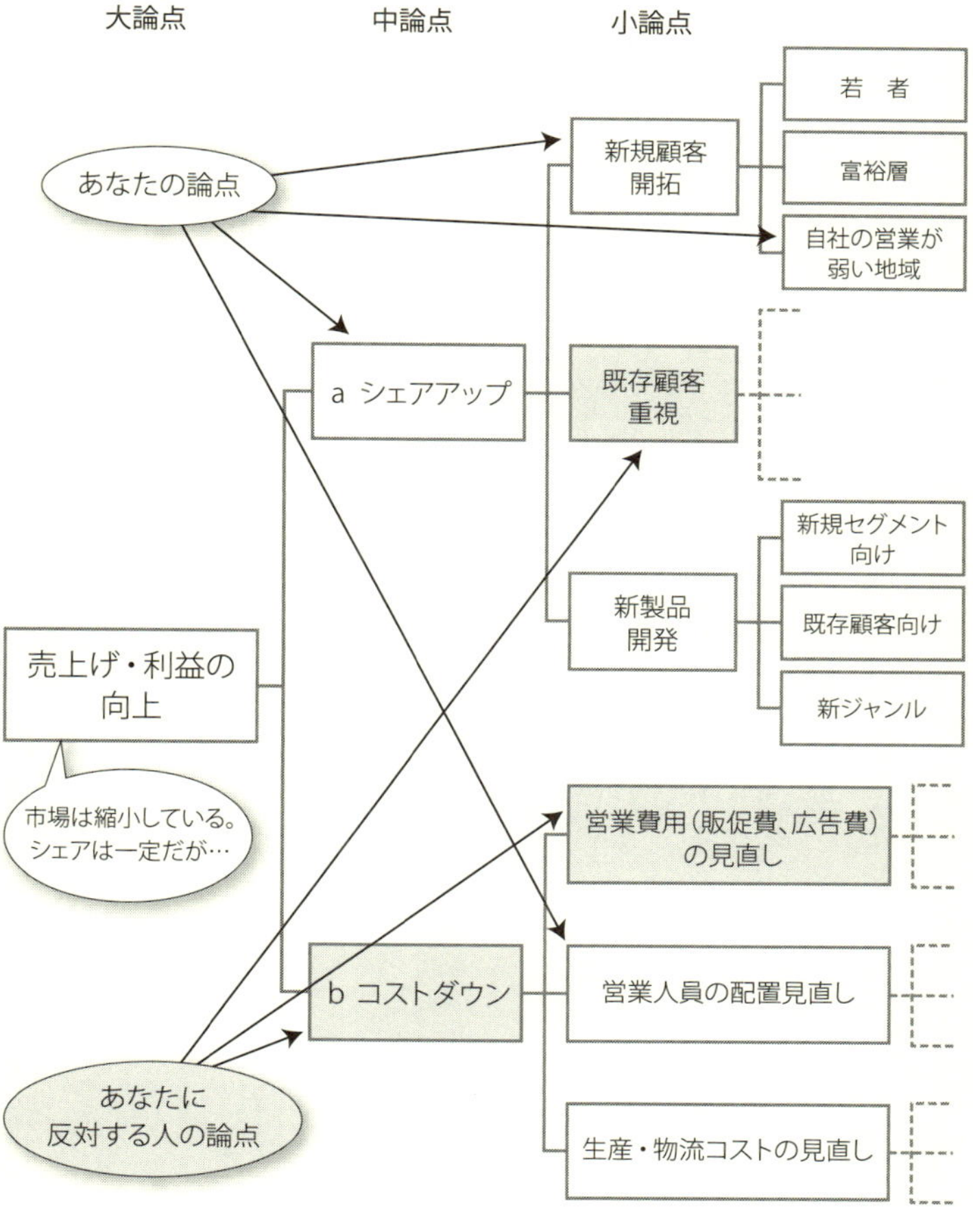
大論点
中論点
小論点
あなたの論点
売上げ・利益の向上
市場は縮小している。シェアは一定だが…
あなたに反対する人の論点
a シェアアップ
b コストダウン
新規顧客開拓
既存顧客重視
新製品開発
営業費用(販促費、広告費)の見直し
営業人員の配置見直し
生産・物流コストの見直し
若 者
富裕層
自社の営業が弱い地域
新規セグメント向け
既存顧客向け
新ジャンル

みる。これは私がよく使う方法だ。反対している人の顔を想像しながら、自分が相手だったら、自分の主張や提案にどういうケチをつけるかと考える。そうすることで代替案が思い浮かぶ。

私がクライアントを説得したり、納得させるときは、だいたいこれを使っている。

例えば、昼食に「中華に行こう」と提案したが、メンバーみんなが反対したとする。その場合、反対の理由にもいろいろある。「昨晩、中華を食べたから、今日は食べたくない」という反対意見もあれば、「中華は高いからいやだ」という反対意見もある。さらには「本当は中華を食べたいけど、内田がいったから反対だ」ということも十分あり得る。組織の中では、そういうことがいくらでもある。

それらを理解した上で代替案を出すことが、問題解決につながる。

昼食メンバーの中に社長がいて、「昨晩、中華を食べたから、今日は食べたくない」といったら、いくら私が中華料理を提案しても聞き入れてもらえない。その場合は、中華以外のジャンルを提案するか、「社長はなにが食べたいですか」と聞いたほうが問題解決になる。

もちろん、昨晩の会合は中華料理だとわかっていれば、最初から「寿司に行きましょう」ということはできるので、事前に状況を把握しておければ、それに越したことはない。

代替案は、自分より上の視座をもっていないと出せない。中華料理しか知らない人に、寿司という代替案は出せないだろう。また、代替案が出せても対立軸がずれている人がいる。「中華か寿司か」というのは、対立軸をきちんと踏まえている。しかし、「中華かコーヒーか」「中華かチャーハンか」「中華か買い物か」というのは、対立軸を踏まえた論点ではない。日常生活では、こうしたことは、常識といっていいくらい当たり前のことだが、仕事となるとレベルの違う論点を並べて議論を混乱させてしまう人が実に多い。自分がそうならないように、要注意だ。

きちんとした対立軸を見つけられるようになるには、前述したように、高い視座をもつことが必要だ。優秀なビジネスパーソンは二つ上の立場で物事を考えている。

4 引き出しを増やす

▼問題意識が引き出しを育てる

「引き出しを参照する」と前述したが、この仮想の引き出しは、誰もが多かれ少なかれ頭の中にもっているものだろう。私は二〇の引き出しの中にそれぞれ二〇のネタをもっているが、初心者がいきなりそのようなものをつくろうと思っても途方に暮れるだけだろう。まずは引き出しを二つ用意し、そこにネタを二つずつつくらい入れることから始めたらよい。使っているうちに同じ引き出しに入るネタの数が増えていくし、さらに自分の興味ある分野や仕事で必要な分野が増えたら引き出しの数を一つひとつ増やしていけばよい。

引き出しを使って仕事をする上で、どのように引き出しを強化していったらよいだろうか。

私はここでも問題意識が大切だと考えている。これは興味とか好奇心といってもいいだろう。問題意識をもっていると、さまざまな世の中の現象に引っかかるため、それを引き出しに蓄えることができる。問題意識は意識レベルだけでなく無意識レベルにも作用する。そうするとまったく関係ないジャンルの雑誌を読んでいても、必要な情報は自動的にアンテナに引っかかる。

脳が、自分にとって意味ある知識を自動的にキャッチする。

自分なりの問題意識と、誰かとの会話、町で見かけた風景といった現象がぶつかり火花が出る。私はこれをスパークと呼んでいる。もう一つは、ある事象と別の事象が、問題意識を介在してぶつかる。例えば少子化は現象だと前述した。そのとき「真の論点はなにか」という問題意識があると、少子化の本当の問題はなにかと考えて、自分のデータベースの中の事象、食糧問題とぶつかり、少子化は問題だといわれているが、食糧問題の面から考えればそうとはいえないのではないかと考えるようになった。

▼集めない、整理しない、覚えない

昔は意図的に引き出しを増やそうと努力した。しかし、情報の収集と整理すなわちインプット作業で手一杯になってしまっていて、肝心の情報の活用(アウトプット)がほとんどできていなかった。まさに本末転倒で、情報を活用したいのに、情報に翻弄されてしまっていた。一〇の労力を使って蓄えても、使えるのは二か三がいいところだった。

そこで二か三の努力で蓄積して一〇使うにはどうしたらいいか、という発想に変わった。具体的にいえば、情報を集める段階で徹底的に手抜きをするのである。見聞きした事象を感情(興味)の赴くままに情報としてとらえ、しかも集めた情報は一切整理しないし、特に無理して覚える努力もしない。それが長続きして、しかも効率よく情報を活用するための近道だ。

問題意識のアンテナを高く上げるが、無理に情報を集めたりはしない。自然と情報をキャッチし、キャッチした情報の整理はしないという方法を日常的に実践している。

問題意識をもっていると、なにかと頭に引っかかることが出てくるはずである。その際、パソコンやカードに記録するのは面倒だから、脳に入れて✓点を打つ。

今日はおいしいものを食べた。「この店（あるいはこの料理）はおいしい」。現場でおかしなことを発見したと思ったら、それを「あれ」と思う。するとそれが自然に蓄積され、次に似た現象を見たときに思い出す。

例えば、たまたま見ていたテレビドラマでかわいい女優を見かけたとしよう。だからといって、すぐにビデオに撮ったり、インターネットで検索したり、友達に「○○というドラマに出ている女優は誰か」などと聞いたりしない。

大半はその場かぎりで二度と思い出さない。だが、また偶然同じ女優を見ることがある。すると「あれ？　この間も見たな」とアンテナが少し高くなる。でも、やっぱりなにもしない。三回目に別の番組でまたその女優を見ると、その段階で記憶が刷り込まれる。それでいいというのが私の発想だ。

仕事も肩の力を抜いて、そういう発想でやったほうがいい。「おや！」と思ったときに、意識のフックをかけてくるだけでいい。おいしい！　おもしろい！　変だ！　と思うものに✓点を打つ。引き出しにストックするのは大事だが、ストックすることに一生懸命になりすぎると疲れる。

▼反論されても、説得せずに聞く

新人コンサルタントが一人でクライアントに出向き、アイデアを提案したとしよう。このときクライアントから反論されると、説得しようとしてしまうコンサルタントが多い。それで中途半端な説得をし、上司には、「やや不満みたいでしたが、最後は納得してくれました」と報告する。だが、次に上司が出向くと、クライアントは不満をもったままである。

経験を積んだコンサルタントは、たとえ反論されても、その場でいったん話を聞く。傾聴してクライアントはどこに引っかかっているのかということを解きほぐす。そして上司にきちんと報告するので、上司はクライアントの懸念を踏まえてあらたな提案をつくることができる。不満を踏まえて修正する場合もあるし、対立軸を明確にして意思決定しやすくする場合もある。

話を聞くコンサルタントはクライアントから評価される。「Aさんに話すと、スムーズに物事が進む」などといわれる。食い違ったときこそチャンスなのだ。対立したときに守りにいかないで、食い違っていることをすべてオープンにして話を聞くことで、論点がクリアになっていく。

聞く力とは極論すると問題意識だ。問題意識をもって聞くと、相手が何気なくいった言葉が自分のアンテナに引っかかる。問題意識がないと聞き逃してしまう。引っかかった言葉をもとに決定的な質問もできるし、向こうの何気ない一言でヒントを得ることもある。それで論点に気づくことも実に多い。

5

論点思考の効用

▼メンバーへの課題の与え方

ＢＣＧのシニアコンサルタント（パートナー）の森健太郎さんは、チームメンバーの使い方がうまく、また人を育てるのが上手だ。彼にメンバーへの仕事の与え方について聞いてみた。

森さん曰く、例えばチームメンバーに解いてもらいたい課題を与えるときに四つくらいのパターンがあるという。それをシャチを事例に説明してくれた。

シャチについての四つの問いがある。

①「シャチは魚か」(=仮説に基づいた質問)
②「シャチは魚かほ乳類か」(=白か黒かをはっきりさせる論点)
③「シャチは何類か」(=オープンな論点)
④「シャチはどんな生物か」(=ただの質問)

①の「シャチは魚か」というのは、「シャチは魚である」という仮説に基づく問いだ。②「シャチは魚かほ乳類か」というのは、二者択一で白黒つける論点だ。これに答えることで、半分の可能性を捨てることができる。③「シャチは何類か」という問いはオープンな論点である。④「シャチはどんな生物か」というのは、どんな答えが返ってくるか予想がつかない曖昧な質問だ。

あなたがチームリーダーだとして、こうした問いをメンバーに投げ掛けたとしたらどんな反応があるだろうか。

「シャチはどんな生物か」という問いを設定すると、メンバーの答えは、「大きい」「海に住んでいる」「獰猛《どうもう》である」など、とめどなく広がり、収拾がつかなくなる。したがって④の質問は避けたほうがいい。

だが、そのときに「シャチは何類か」と問いかければ迷わない。「シャチは魚かほ乳類か」と聞けばより迷いは少なくなる。

コンサルティング・プロジェクトでリーダーがメンバーに仕事を頼むときに、メンバーには「シャチは何類か」というオープンな論点を背景として説明し、「ほ乳類か魚かを調べてほしい」と白黒論点レベルで仕事を依頼するとうまくいくと森さんは語る。すなわち、②と③を使う。

では、なぜ①の「シャチは魚か」と仮説を提示しないのか。実は仮説をストレートにメンバーに提示するのはリスクがある。これは私のほうで説明しよう。

まず一つ目は論点を絞り込みすぎて、もしかしたら他にもあるかもしれない論点を見落とす、あるいは考えてもみようとしなくなるリスクだ。例えばシャチは魚かどうかを検証しろといわれたら、本当はほ乳類かもしれないしあるいは両生類かもしれないのを考慮しない可能性が高い。しかも、仮説が検証できなかったとき、すなわちシャチが魚ではないと判明した場合、もう一度頭に戻って仮説構築から始めないとならない。もちろん、やり直せばよいのであるが、少し時間がかかる。

次いで、一つ目とも絡むが自分で論点を考える癖がつかない。いつも論点は上司から降ってきて、自分はそれを検証すればよいと思い込んでしまうと、いつまでも論点思考力が身につかない。仮説の検証が得意な分析屋、作業屋のままで終わってしまう。部門を任されるとからっきしダメな人間になりかねない。逆にいえば②のように複数の論点を与えるか、あるいは③のようにややオープンな論点を与えられれば、自分で比較対象を調べたり、異なる論点を見つけたりする可能性が高い。何度も繰り返すようだが、論点は対立軸があったほうが、より鮮明に浮かび上がる可能性が高い。

最後のリスクは、自分の思い込みで自分の都合のよい情報だけを拾って、ロジックを組み立ててしまうことだ。通常私たちは自分がどのような事実を見て、それをどう解釈したのか、というような「思考のプロセス」を意識しない。そのため自分の思考の筋道を相手に開示して、それが正しいかどうかを検証したり、またそのプロセスに疑問を抱いたりすることもなく、あたかも自分の考えたことが真実であるかのように思う。これを避けるためにも白か黒かと考えることは極めて重要だ。

メンバーに「シャチは魚か」という問いを設定すると、「海を泳いでいます。サメと同じように魚を食べる肉食です。どう見ても魚です」としかいわなくなる。「魚かほ乳類か」という問いを設定すると、魚とほ乳類の違いをきちんと見極める。その違いは子どもを産むか卵を産むかで、一見シャチは魚に見えるけれどほ乳類だと答えられる。

▼メンバーの力量に応じて、論点のレベルを使い分ける

プロジェクトメンバーや部下に「これが大論点だから、皆さんこれを考えよう」というと、メンバーや部下は普通はまったく動けない。ピタッと止まってしまう。あまりにも論点が大きすぎて、どこからどう手をつけていいのかわからなくなってしまうのだ。したがって、メンバーが実際に仕事をしてこなせるあるいは動ける単位に落としていくというのが、中論点とか小論点だ。

コンサルタントの場合は、中論点を与えられて小論点に分解していく能力のある人が、優秀なコンサルタントで、中論点を与えられてもまだどうしてよいかわからず、小論点まで与えてあげないといけないのがジュニアのコンサルタントということになる。このようにメンバーの力量・レベルに応じて上司は論点の与え方を変えるべきだ。

例をあげて説明すると、ある食品メーカーが品質問題に悩んでいる。社長からの命題、すなわち論点は、我が社の品質レベルをもっと向上させて、業界ナンバー1にしろというものだった。

しかし、普通はこのままでは仕事を進めることはできない。品質といっても、味の品質

なのか、あるいは安全性の意味での品質なのか、あるいは形がでこぼこだったり、数が足りなかったりする話なのか、わからないのでアクションプランがつくりにくい。実は、品質にもいろいろな側面がある。プロジェクトのリーダーはそれを理解した上で、この会社は味については業界でも定評があるし、安全面でも使用している原材料は保守的なくらい慎重にかつ、受け入れ検査も厳重にやっている。そうなると、社長のいう品質とは、消費者が商品を購入したり目で見たときに、バラツキがあったり、不良品が混入していることではないかと当たりをつけるわけである。

となると品質を上げることを大論点としたときに、味の品質と安全性の品質という中論点は除いて、製品不良のみを中論点として取り上げることになる。

ここまで落としてから、コンサルタントに製品不良をなくすにはどうしたらよいか考えてほしいと投げてしまうのが一つのやり方だ。ただし、これでもまだどうしたらよいかわからないコンサルタントもいる。その場合はさらに小論点まで分解してやった上で、指示を出す。例えば製品不良は、工場の生産段階で起きているのか、それとも社内の物流過程なのか、あるいは原材料に問題があるのかなどを調べてほしいと仕事を具体的に出す。これ以外にも消費者が食品の保存の仕方を間違えたり、使用方法が違っていて不良品化するケースも結構多い。どれもが論点だから、小論点と呼んでよい。もちろん、もっとブレークダウンして、作業レベルにまで落とさないといけないコンサルタントのときもある。その場合は、製造工程の不良品の調べ方は、まず○○のデータを見た上で、現場に行ってから現場の話を聞き、ついでに現場では△△を見てくるとよいと指示する。

このようにリーダーともなれば、相手の力量に応じて、論点を分解したり、作業レベルまで指示したりと使い分ける必要がある。コンサルタントの場合、三年くらいの経験を積んでいれば、「こういう大論点であるが、中論点以降は、自分で考えて進みなさい」と仕事を頼むことができる。いわれたほうは、自分の成長を上司に認められた感じになるだろう。

一方で、一年目の新人には、上司が小論点まで出し、論点に対する仮の答え（仮説）を提示して、この仮説を検証していこうとなる。

▼人材育成のためには仮説より論点を与える

ＢＣＧのシニアコンサルタントには、仮説を与えるより論点を示すほうが、メンバーを同一ベクトル上にもっていきやすいという人間がいる。論点思考がメンバーマネジメントの肝だという。論点というものがなんなのか、それが仮説とどう違うのかをメンバーがきちんと理解し、動けることが大切だ。

上司が仮説を出して「これについて証明してくれ」というと、なにも考えずにその仮説を証明しようとするタイプと、自分で考えるのが好きで、仮説、あるいは仮の答えを与えられてしまうと物足りなさを感じてやる気が出ないタイプとの二通りに分かれる。もちろんできるビジネスパーソンは、自分で価値を見出すということを尊び、与えられたものではなくて、自分でこうではないかと考えてそれを証明することに、喜びを見出す。もちろんそうした思いをもっている人間が成長する。

それなのに「論点はこう、仮説はこう、あなたはそれを検証すればいい」となると、モチベーションがわかなくなり、仕事のクオリティーも低くなる。メンバーの成長もない。もちろん、普通の会社では全員のモチベーションがそこまで高いというのは、逆に珍しいかもしれない。

メンバーのイマジネーションやクリエイティビティを刺激するには、ある程度の枠を与え、どこに本当に問題があるのかは自分たちで考えさせる。

上司が論点に対する答えをあまりに強く仮説として言いすぎてしまうと、メンバーは、端《はな》から論点は正しいと信じて、あるいは疑ってはいけないものとして、仮説を証明しようとする。「シャチは魚かどうか」という問いに対し、「泳ぐから魚だ」「肉食だから魚だ」

という情報がどんどん集まる。これは仮説が外れた場合、リスクが高い。

だから立場が上がれば上がるほど、できるだけ論点でメンバーとコミュニケーションを取る。

グレーの事象に対して上司が「白」といっているからと、メンバーがなんの考えもなしに同じグレーを見て「白」というのはいけない。白か黒かという論点の中で、「自分には黒に見えます」「白黒の中間ですが、どちらかといえば白っぽいです」とはっきりいうことが大事である。あるいは、上司がいっていることと違う情報を見つけたときに、「この情報は整合性がつかない。多分、調査が間違っている」などと勝手に情報を捨ててしまうメンバーがいてはいけない。

そこにはモチベーションと育成の問題がある。

白だという仮説を白だと証明しにいく作業は、極論すると、調査力とか分析力が必要だ。一方、白か黒かという論理に決着をつけるには、判断力や意思決定力が必要だ。微妙なグレーに対して、会社を代表して「白だと思います」といっていくという、意思決定や判断力を身につけさせる。

これが単なるメンバーからプロジェクトリーダーあるいは経営者になっていく上での一番のポイントだ。優秀なメンバーほどそこは自分でやりたいと思っているはずだ。そういう意味でも、その部分はメンバーにあえて考えさせ意思決定に対峙させるべきだろう。

▼時には失敗させる

仮説思考も同様であるが、論点思考も経験がものをいう。だからといって、ただ経験を積めばよいということではない。例えば上司や顧客のいうとおりの論点を黙々と解いていたのでは、問題解決能力は高まるかもしれないが、問題を発見する力すなわち論点思考力はなかなか高まらない。

そこで部下に論点思考力を高めてもらいたいと思ったら、上司は課題をあらかじめ与えるのではなく、課題そのものを本人に考えさせる訓練をするべきだ。もちろん最初のうちはまったく違う穴（論点）を掘ったり、正解にたどり着くのにとても時間がかかったりするだろう。あるいは、間違った論点を掘って、時間ばかりかかり解決策にたどり着かない、あるいは間違った解決策を考えてしまうといったことが起きるはずだ。

しかし、そこで間違ったことや時間がかかったことはすべて将来への栄養となる。もちろん、自分で経験しなくても、人の失敗や成功、あるいは本を読んで論点思考が身につく人もいるかもしれない。しかし、多くの場合は自分でやってみてはじめて、血となり骨となるのが論点思考である。したがって、上司は論点や答えがわかっていても、それをいきなり教えてしまうのではなく、まずやらせてみる。うまくいかないようならヒントを与えるといった、我慢強い指導が必要である。

そうした経験を与えることがメンバーの論点思考を高めるのだと割り切って、少し長い目で見るのが一番よい。それによって人は必ず育つ。そして、いつの間にか自分のリーダーシップ力がついていることにも気づくに違いない。論点思考は下だけでなく、上も育てるのである。

6 論点と仮説の関係

▼論点思考と仮説思考は密接不可分

論点思考は問題解決の最上流にある「解くべき問題の設定」プロセスのことを指し、仮説思考は「仮の答え」をもとに思考するアプローチである。この二つは対立する概念でもないし、上下関係にある概念でもないし、どちらが先でどちらが後というように順番に使われる概念でもない。図表6－3で見てもらうとわかりやすいが、論点思考が横糸なら仮説思考は縦糸の関係になっている。

すなわち、仕事の問題解決のプロセスを①問題発見、②問題解決、③実行の三つのプロ

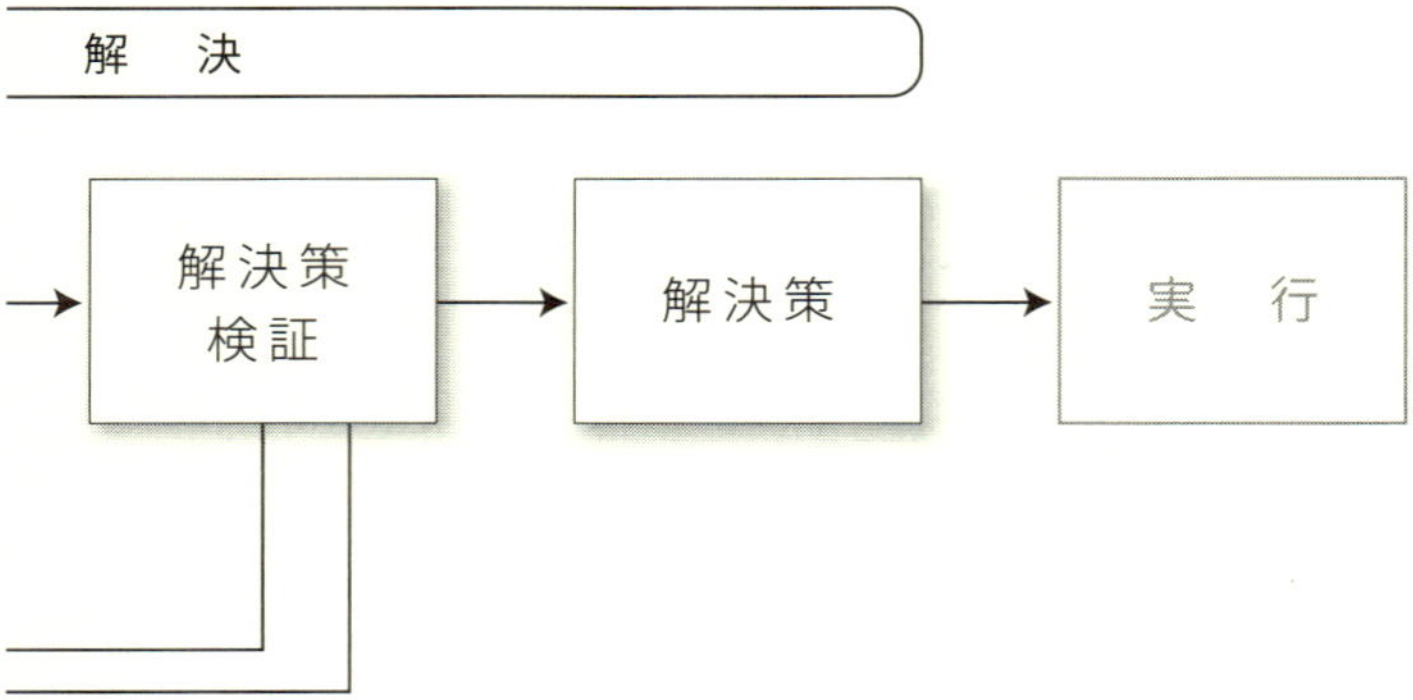

セスに分けたとき、論点思考が最も力を発揮するのが問題発見のプロセスである。

問題発見のプロセスは論点思考そのもので、論点設定と論点確定・整理のプロセスに分けることが可能である。その前半の論点設定に力を発揮するのが仮説思考である。さらに仮説思考は問題解決プロセスの解決策の仮説を考える上でも重要な役割を果たすのはいうまでもない。

ただし、現実にはこんなに単純に左から右へと作業が進むことは少なく、立てた論点の仮説が違っていて、解決策を検討中にもう一度問題発見のプロセスに戻ったり、あるいは解決策を検証するプロセスの中でも、ある問題点すなわち論点に白黒つけると解決策が確定すると

図表6-3　問題解決のプロセス

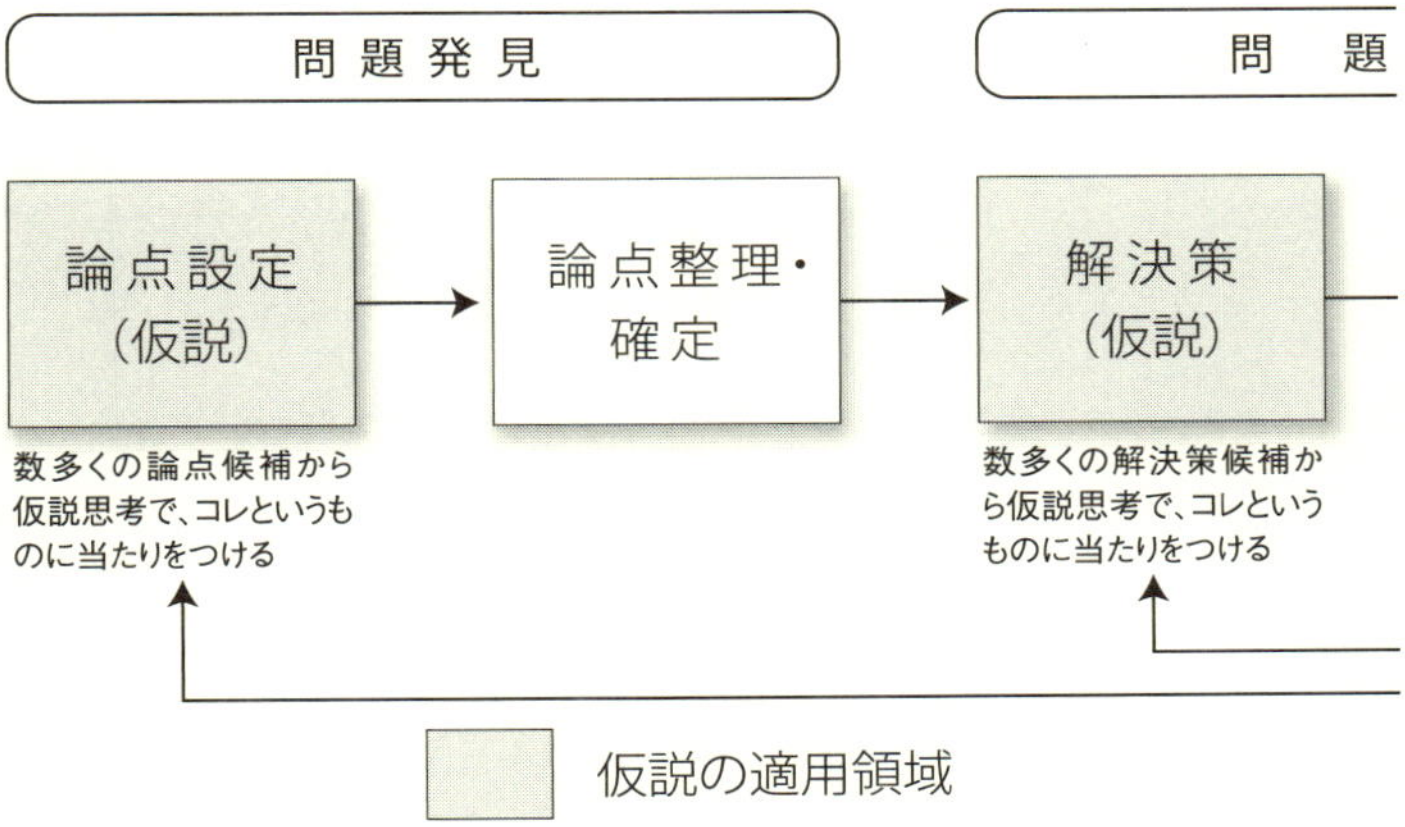
問題発見
問題
論点設定
（仮説）
論点整理・
確定
解決策
（仮説）
数多くの論点候補から
仮説思考で、コレというも
のに当たりをつける
数多くの解決策候補か
ら仮説思考で、コレという
ものに当たりをつける
仮説の適用領域

いったこともしょっちゅう起きている。
別の言い方をすれば問題解決のプロセスの中にも論点は現れるということである。

▼問題解決のプロセスは行きつ戻りつするのが現実

さらに本書で述べたように論点が時間とともに進化したりするために、図表6－3のプロセスをもう一度やり直すといったこともある。さらに大論点を解明するために中論点や小論点に分解するわけであるが、それに白黒つけてみたら大論点が必ずしも適切な問いではなかったということも起こりうる。

また問題解決プロセスでも、これが答

えだと思って検証してみたら解決策の仮説が間違っていてもう一度解決策の仮説をつくり直すといったことは容易に起きる。これは『仮説思考』の本の中で繰り返し述べたことである。

したがって、論点思考は決して上流から下流へ向かって一方向にだけ進むアプローチではない。つねに解くべき問題（大論点）はなにか、あるいはそれを解くためにはどのような中（小）論点に答えを出すのがふさわしいのかを自問しながら、行きつ戻りつするのが現実の姿であることも理解した上で、論点思考を活用してもらいたい。

おわりに

『仮説思考』を書き上げてから四年近い年月が過ぎてしまった。仮説思考とは対になる本であるため、本来はもっと早く出しておきたかった本であるが、私の怠慢で大幅に遅れてしまった。

簡単にいえば、仮説思考は主に問題解決に力点を置いた本であり、論点思考は問題発見に力点を置いた本である。しかし、最後の章にも書いたように、まったく別々のものではなく問題発見に仮説思考は欠かせないし、問題解決にも論点思考はしょっちゅう出てくる。『仮説思考』と本書は、どちらを先に読んでいただいても理解できるように書かれている。したがって、すでに『仮説思考』を読んでいただいた方には、問題発見と問題解決の全貌がつかめるようになるし、こちらを先に読んでも問題発見という最も大事なことがきちんと理解できるようになると思う。

今回も多くの方に助けられて本書は出来上がっている。まず、前回同様、東洋経済新報社の編集者の黒坂浩一さんと水の研究家で著述家の橋本淳司さんには、企画の段階から文章の構成に至るまで大変お世話になった。また、今回も原稿の段階から私の所属する早稲田大学ビジネススクール夜間MBAコースの内田ゼミの二期生・三期生には文章を読んでもらって、わかりにくいところや間違いなどを指摘してもらった。もし本書がビジネスパーソンが読んでわかりやすくなっているとすれば彼らのおかげである。さらにBCG時代の秘書である阿部亜衣子さんの助けなしには本書は完成しなかった。

本書の内容は、その大半が私の二五年におよぶボストン コンサルティング グループ（BCG）におけるコンサルティング活動から学んだものであり、BCGにもあらためて感謝したい。在籍期間中、数百のプロジェクトに参加したが、そうしたプロジェクトの経験から生まれた私なりの方法論を何とか、世の中のビジネスパーソンに伝えたいと思ったのが本書執筆のきっかけでもある。プロジェクトメンバーや顧客であったみなさまにあわせてお礼申し上げたい。

さらに自分の独りよがりな方法論になってはいけないと思い、BCG日本事務所のパートナー諸氏には、何時間にも及ぶディスカッションやヒアリングにつき合っていただき感謝の言葉もない。一人ひとりの名前は挙げないが、十数名のパートナーの方に協力していただいて出来上がったのが本書である。もちろん、本書の内容について、その責は私にある。

最後に、読者のみなさんが真の問題を見極め、問題解決を速やかに進めることができるようになり、解いてもなんの成果もない問題、あるいは、考えるだけムダな問題から解放されることを祈念して、筆をおくこととする。

著者紹介

早稲田大学名誉教授．東京大学工学部卒．慶應義塾大学経営学修士（MBA）．日本航空株式会社を経て，1985年ボストン コンサルティング グループ（BCG）入社．2000年６月から2004年12月までBCG日本代表，2009年12月までシニア・アドバイザーを務める．ハイテク，情報通信サービス，自動車業界を中心に，マーケティング戦略，新規事業戦略，中長期戦略，グローバル戦略などの策定・実行支援プロジェクトを数多く経験．2006年には「世界で最も有力なコンサルタントのトップ25人」（米コンサルティング・マガジン）に選出された．2006年から2022年３月まで早稲田大学大学院経営管理研究科（ビジネススクール）教授．競争戦略論やリーダーシップ論を教えるほか，エグゼクティブ・プログラムでの講義や企業のリーダーシップ・トレーニングも行なう．
著書に『仮説思考』『右脳思考』『右脳思考を鍛える』『イノベーションの競争戦略』（以上、東洋経済新報社），『ゲーム・チェンジャーの競争戦略』（編著）『異業種競争戦略』『リーダーの戦い方』（以上、日本経済新聞出版社），『ビジネススクール意思決定入門』（日経BP）などがある．

YouTube「内田和成チャンネル」
https://www.youtube.com/@kazuchida/streams
Facebookページ
https://www.facebook.com/kazuchidaofficial
X（Twitter）
@kazuchida

論点思考

2010年２月11日　第１刷発行
2025年４月22日　第22刷発行

著　者　内田和成《うちだかずなり》
発行者　山田徹也
発行所　〒103-8345
東京都中央区日本橋本石町１-２-１　東洋経済新報社
電話　東洋経済コールセンター03(6386)1040
印刷・製本　港北メディアサービス

Printed in Japan　ISBN 978-4-492-55655-9　https://toyokeizai.net/